BERLITZ®

PARIS

- Un ✓ dans la marge indique un site ou monument que nous vous recommandons tout particulièrement
- Berlitz-Info regroupe toutes les informations pratiques, classées de A à Z, à partir de la page 114
- Pour un repérage facile, des cartes claires et détaillées figurent sur la couverture et à l'intérieur de ce guide

Printed in Switzerland by Weber SA, Bienne.

1e édition (1993/4)

Bien que l'exactitude des informations présentées dans ce guide ait été soigneusement vérifiée, elle n'en est pas moins subordonnée aux fluctuations temporelles. N'hésitez pas à nous faire part de vos corrections ou de vos suggestions en écrivant aux Editions Berlitz, à l'adresse ci-dessus.

Texte:	Giles Allen.
Adaptation française:	Marie-Louise et Philippe Verroest.
Photographie:	Claude Huber, à l'exception de celles pages 32 (en haut) et 44, par Monique Jacot; pages 60 et 104, par Erling Mandelmann; et page 86, reproduite avec la permission du musée du Louvre.
Cartographie:	Falk-Verlag, Hambourg.
	Nous tenons à remercier Jack Altman, Patrick Ros Gorasny et l'Office de Tourisme de Paris pour leur précieuse coopération lors de la préparation de ce guide.
Photos de couverture:	© Claude Huber.

SOMMAIRE

Paris et les Parisiens

«*A nous deux Paris!*» Nous sommes tous le Rastignac de Balzac devant la capitale. Tous, en arrivant à Paris, sentons monter en nous cette joie au cœur, à notre première visite comme à la vingt-cinquième. La ville est un cocktail tonique et vivifiant, et même si, au début, le visiteur peut trouver le rythme redoutable, la magie va bientôt faire son effet.

Quels que soient vos penchants, votre humeur ou votre tempérament, il y a un Paris pour vous – il y a un Paris pour tous. Flâneur lettré et bienheureux chez les bouquinistes du bord de Seine ou ardent supporter de rugby au Parc des Princes, à chacun son Paris. Mais c'est aussi une ville exigeante. Pourquoi cela? Parce qu'elle demande votre participation dans la quête de la qualité, de la beauté, du style et de la joie de vivre. Les Parisiens sont des hédonistes. Armés, à l'évidence, d'une superbe confiance en eux-mêmes, il leur faut ce qui se fait de mieux. Regardez autour de vous: jardins, bâtiments, monuments, cuisine, passants: le style est roi.

Asseyez-vous à la terrasse d'un café et observez le spectacle de la vie. Les terrasses de cafés, voilà l'emplacement stratégique, même si vous y payez votre consommation un peu plus cher qu'au comptoir. Chaque passant vous fait son meilleur numéro, en essayant de capter votre attention avec le plus grand aplomb. Ou alors observez vos commensaux. Notez la mobilité des expressions, si rapide dans le passage d'une humeur à l'autre. La confiance en soi est, semble-t-il, la clé de voûte de Paris et des Parisiens. Même si, à l'occasion, cette confiance absolue tourne à l'arrogance, admettez-le cependant: elle fait merveille. Il n'est pas une pierre, pas un monument, de l'Etoile à la pyramide du Louvre, qui n'atteste de cette croyance innée des Parisiens en la suprématie de leur cité.

Mais Paris n'est pas seulement dans ses habitants et ses

monuments. La nature aussi semble avoir voulu y jouer un rôle. Où ailleurs qu'à Paris peut-t-on trouver une lumière si belle? A chaque saison son charme particulier. Vous n'avez rien à craindre de l'hiver parisien; en fait certains monuments sont à leur apogée dans une lumière froide et dure. L'automne, quand les feuilles virent au roux, recèle presque autant de charme que le printemps, lorsque renaissent les jardins et que l'air s'imprègne d'une sensation de joie omniprésente. C'est l'été qui restitue la ville à elle-même, même si les Parisiens la désertent au mois d'août; au moins la circulation y devient-elle supportable et ceux qui y restent prennent-ils le temps de vivre. Que dire de la tombée du jour, lorsque Paris vous offre le spectacle incomparable de ses grands monuments historiques, de ses avenues et de ses squares illuminés?

C'est une banalité de dire que Paris a changé jusqu'à en être méconnaissable depuis les jours de mai 68, lorsque la société fut secouée de fond en comble. Les jeunes révolutionnaires sont eux-mêmes devenus, à leur tour, la bonne société, mais la tradition ne s'en est jamais complètement remise. Le vent du changement qui balaya la capitale a apporté avec lui des aspirations nouvelles. Paris soupirait après la modernité. Elle se voulait la capitale incontestée des arts. Elle y est parvenue.

Tout commença avec le président Pompidou qui établit la voie expresse sur les berges de la Seine, les fondations du complexe de la Défense et du Centre Pompidou; Giscard d'Estaing prit la suite avec le musée d'Orsay, puis Chirac avec le palais omnisports de Paris-Bercy; le summum fut atteint avec la pyramide du Louvre, la Cité des Sciences et de l'Industrie à la Villette, la Grande Arche de la Défense, tous «enfants» de François Mitterand, sans oublier, avec peut-être moins de bonheur, le ministère de l'Economie et des Finances, l'Opéra de Paris-Bastille, l'Institut du Monde arabe et la T.G.B. (Très Grande Bibliothèque), en travaux à l'heure actuelle. Il faut aussi mentionner les attractions de la ceinture parisienne, le nouveau complexe Euro-Disneyland en particulier. Et que dire de ses innombrables foires internationales, musées et spectacles? Tout cela, allié aux constantes améliorations apportées à son excellent réseau de communications, fait de Paris un pôle d'attraction dont le champ ne cesse de s'élargir.

Paris est, de nos jours, un gigantesque chantier: la ville n'en finit pas d'être ciselée et polie. En donnant, en 1981, le coup d'envoi à son vaste programme de grands projets, le président Mitterand prit le parti de donner à l'Etat un rôle éminent dans le développement urbain de la capitale. Pour quelles raisons? Parce qu'une grande ville est toujours soumise à des pressions externes qui, laissées à elles-mêmes, détruiraient l'ordonnance du paysage urbain; il appartient donc à l'Etat de faire fonction d'arbitre et de veiller à ce que l'harmonie de la ville soit maintenue. A cet égard rien de nouveau. Des jardins bien ordonnés des Tuileries, tracés par Le Nôtre en 1664 pour Louis XIV, au Beaubourg du président Pompidou, l'ordre imposé par les «décideurs» a conféré à Paris un aspect discipliné, voire sévère.

Bien sûr, il y a le revers de la médaille: les clochards tristes mendiant dans le métro et habitant des boîtes de carton,

et les familles indigentes, expulsées de leur logement parisien et repoussées vers des banlieues sans âme. Mais même si une foule de banlieusards viennent y travailler, chassés de la capitale par les loyers élevés et le manque de logements adaptés, beaucoup y habitent encore. C'est pourquoi Paris est l'une des régions urbaines les plus peuplées du monde. La ville n'arrête jamais de bouger; nuit et jour une population animée prend d'assaut la rue, les trottoirs et les cafés.

Le Parisien? Brusque, grossier, hostile? A peine. L'enveloppe, parfois rude, cache une âme sensible, caustique certes, mais vive et pleine d'esprit et de charme, dans un pays où l'on trouve côte à côte, innés, l'esprit cartésien et le savoir culinaire. Traitez le Parisien d'intellectuel, et il en sera flatté jusqu'au fond de l'âme; d'ailleurs, discussions et analyses d'un large éventail de sujets – de la politique à la philosophie, en passant par l'art et les grands problèmes de société – fournissent le pain quotidien à plus d'une conversation de bar. Un léger penchant pour l'ironie peut-être? Sans doute, mais si cela peut aider à illuminer la morosité quotidienne, pourquoi pas?

Cela dit, qui est le Parisien? Seulement un sur deux est natif de la capitale. La plupart sont des provinciaux de Bretagne ou de Bourgogne, de Corse ou de Corrèze – ce qui ajoute des ingrédients divers au «ragoût» parisien. Il suffit de quelques années, d'ailleurs, pour en faire des Parisiens «bon teint», méprisant les «provinciaux» (qui le leur rendent bien), tout en demeurant viscéralement loyaux à la province qu'ils ont quittée. Ecoutez-les donc en parler aux étrangers ou à leurs petits-enfants! De nos jours la population d'immigrés du Maghreb et de l'Afrique, tout comme celle des départements français d'Outre-Mer, a ajouté au

La foule se presse autour de la fontaine Stravinsky, au Centre Pompidou.

mélange un ingrédient nouveau, coloré et exotique. Si les problèmes d'intégration font parfois surface, le temps les atténue graduellement.

Musiciens, chanteurs, joueurs de tennis, tout ce que chaque discipline compte de stars, veulent se produire dans la capitale. L'industrie cinématographique française traverse peut-être une zone de calme plat, mais c'est tout de même elle qui mène la danse en Europe. Les expositions artistiques rameutent des foules de la France et de l'Europe entières. Quant aux Japonais,

essayez donc de les chasser! Le musée d'Orsay a enregistré 4 millions d'entrées au cours de sa première année. Le musée du Louvre a 3 millions de visiteurs par an, et même le centre d'affaires de la Défense est quotidiennement pris d'assaut, surtout en raison de son étonnante Grande Arche.

La rive gauche continue à regarder de travers la rive droite: les mentalités diffèrent, bien que les divergences s'estompent progressivement. Vous trouvez pratiquement toutes les maisons d'édition, de nombreuses galeries d'art et librairies sur la rive gauche, alors que la rive droite a toujours attiré le monde des affaires. Mais ce n'est pas si simple: de manière générale les Français ont le cœur à gauche et le portefeuille à droite; aussi nombre d'entre eux ont-ils un pied dans chaque camp. Galeries ou grandes sociétés possèdent des succursales sur chaque rive pour satisfaire leur clientèle respective. Si pendant des décennies après la Guerre, les jeunes ont fait de la rive gauche une ruche intellectuelle, abandonnant la rive droite à ces philistins d'hommes d'affaires, de nos jours le pendule est revenu de l'autre côté, et les soirées sont tout aussi animées aux Halles ou à Beaubourg, ou autour de la Bastille que dans les cafés de Saint-Germain.

Le Jardin du Luxembourg: un cadre agréable où il fait bon lézarder.

Comme la plupart des grandes villes, Paris évolue dans un périmètre aux limites clairement définies. On compte 20 arrondissements, chacun empreint de son style propre. Des groupes ethniques prêtent à telle rue une coloration exotique alors que telle autre abrite des appartements fin de siècle discrets et coquets et qu'une imposante avenue essaime en un réseau de petites ruelles. Derrière les axes touristiques classiques et fréquentés, vous découvrirez des rues délicieuses dont les portes cochères cachent des cours tranquilles et de gracieuses façades à balcon. Regarder les gens vivre, faire du lèche-vitrine ou déambuler sans but précis, tout cela est évoqué dans le verbe «flâner». Vous vérifierez que le fameux slogan: «Il se passe toujours quelque chose» s'applique à la ville tout entière. Balzac n'a pas eu besoin de chercher bien loin la matière de sa *Comédie humaine*. Tout était là, sous ses yeux.

La force d'attraction qui émane de Paris est telle, la magie de son charme est si puissante, que bien peu de visiteurs quittent la ville avec indifférence. Elle vous adoptera si vous l'adoptez. Il suffit d'entrer dans le jeu. Des visiteurs, venus par milliers des quatre coins de la terre ont succombé; ils ont été adoptés ou sont en cours de l'être. Et, à la vérité, ce serait bien étrange si vous n'éprouviez pas le même sentiment. En douceur, sans même vous en rendre compte... vous voilà Parisien, vous aussi.

Un peu d'histoire

Le fruit défendu

Le choix de Paris ou *Lutetia* (marécage), comme la nommèrent les Parisii, ses premiers habitants, fut un coup de génie. C'est au milieu de la Seine que des pêcheurs Celtes s'installèrent sur l'actuelle île de la Cité. Le fleuve était bien plus large alors qu'il ne l'est aujourd'hui, et fournissait la meilleure défense possible contre la plupart des envahisseurs, à l'exception des Romains qui conquirent la ville en 52 av. J.-C.

Au temps des Romains, la rive droite de la Seine étant trop marécageuse pour l'habitat, la ville se développa sur la rive gauche, et les Romains la dotèrent de temples, de routes, de marchés et de ponts fiables. Des fouilles ont mis à jour les arènes, appréciées pour leurs combats de lions et de gladiateurs, ainsi que des thermes (voir p.58) datant des IIe et IIIe siècles apr. J.-C.

C'est Saint-Denis qui apporta à la ville la foi chrétienne et pour l'en remercier on le décapita sur la colline de Montmartre, en l'an 250 environ. La légende veut que Saint-Denis ramassât sa tête et l'emportât jusqu'au site de l'actuelle abbaye de Saint-Denis.

Vers la fin du IIIe siècle, Lutèce, qui avait adopté alors le nom de Paris, tomba aux mains des barbares Huns et Francs; les habitants se replièrent alors derrière les fortifications de l'île de la Cité. Attila fit une tentative en 451, mais on raconte que les ferventes prières de sainte Geneviève parvinrent à le convaincre d'épargner la ville. Elle avait commencé comme simple bergère, faisant paître son troupeau sur les terres qui constituent aujourd'hui la commune de Nanterre; elle mourut en 502, vénérée de tous. Clovis, chef des Francs, converti au christianisme pour prouver sa bonne foi, arriva en 486 et s'installa au palais de la Cité. La population regagna la rive gauche, où fut érigée l'église de Saint-Germain-des-Prés.

Naissance d'une capitale

Paris avait beau être la principale ville du pays, elle n'en était pas pour autant suffisamment organisée ni armée pour repousser les attaques des Normands qui s'y livrèrent au pillage à partir de 861. Elle demeura en retrait sur la scène européenne jusqu'à ce qu' Hugues Capet décidât de s'y installer en 987, faisant de Paris la capitale économique et politique de la dynastie capétienne. Sous Louis VI (1108–37), l'Ile de France traverse une «période agricole» qui voit la prolifération de champs entourées de murs («clos»). Mais la grande puissance de Paris provenait de ses marchands qui tiraient profit de la Seine en percevant impôts et péages des bateaux de passage. La ville y acquit sa devise, «*Fluctuat nec mergitur*»: elle flotte, mais ne sombre pas, d'où la nef représentée sur le drapeau de Paris. La zone portuaire, dite «Grève», s'étendit sur la rive droite, à côté de l'actuel Châtelet et de l'Hôtel de Ville.

Ces revenus permirent à Philippe Auguste (1180–1223) de faire bâtir la cathédrale Notre-Dame, une forteresse que l'on nomma le Louvre, des aqueducs, des fontaines, et même des rues pavées. La ville comptait 36 rues dans la

L'arc de Triomphe trône sur les Champs-Elysées. En bas: un détail de La Marseillaise, *par François Rude.*

740 NJ 93

Cité, 80 dans le quartier de l'Université (rive gauche) et 194 sur la rive droite. Avant de partir pour la IIIe Croisade (1189–92), il fit protéger la ville et ses investissements par de puissantes murailles.

Saint Louis (1226–70) s'attacha à développer l'aspect spirituel et intellectuel de la vie parisienne en édifiant la Sainte-Chapelle, chef-d'œuvre de l'art gothique, et les nombreux collèges de la rive gauche, en particulier celui de Robert de Sorbon, en 1257 (voir p.57). A la fin de son règne, avec une population de 100 000 habitants, Paris était devenue l'une des plus grandes et des plus belles villes de l'Occident chrétien.

La puissance des marchands fut mise à l'épreuve au XIVe siècle, quand la peste et la guerre de Cent Ans dévastèrent la France, abandonnant Paris à la merci des Anglais. En 1356, Jean le Bon est fait prisonnier à Poitiers. Etienne

Marcel, prévôt des marchands, tirant parti de la confusion générale, institue une dictature municipale d'exception. Il est assassiné un an plus tard, mais son «règne» révèle aux Parisiens l'ampleur de leur contribution dans l'histoire de la nation. Le nouveau roi, Charles V, inquiet de cet activisme parisien fait construire la forteresse de la Bastille.

Si les luttes du XIVe siècle ne furent guère favorables à la stabilité de Paris, celles du XVe siècle s'avérèrent désastreuses. En 1407, le sang coule, rue Barbette, quand le duc de Bourgogne fait assassiner le duc d'Orléans: c'est le coup d'envoi de 12 années de querelles entre les Armagnacs et les Bourguignons. L'entrée des Anglais dans Paris en 1420 met fin au carnage. Dix ans après, Jeanne d'Arc tente sans succès de libérer la ville; un an plus tard, c'est l'humiliation suprême: Henri VI d'Angleterre se fait couronner roi de France à Notre-Dame. Comble de malheur, la peste de 1466 frappe des milliers de Parisiens.

L'Hôtel de Ville, construit sous François Ier, fut ravagé par les flammes sous la Commune et rebâti en 1873.

La grande ouverture

Malgré tout Paris tint bon. Sous le règne de François Ier (1515–47), la ville fait l'apprentissage de la prospérité, sous la férule d'un souverain absolu et souvent absent, trop occupé à guerroyer en Italie ou à embellir ses châteaux de la Loire. Les arts, les sciences et la littérature fleurissent. On abat une grande partie du Louvre et on le reconstruit au goût du jour. Un nouvel Hôtel de Ville est mis en chantier, ainsi que la superbe église Saint-Eustache. Les Parisiens bombent le torse devant cette ville exceptionnelle. Villon chante: «*Il n'est bon bec que de Paris*» et Ronsard, le poète, voit dans Paris «...la ville où sont infuses la discipline et la gloire des Muses».

Les guerres de religion n'en continuent pas moins de

semer carnages et destruction: tout commence en 1572 avec le massacre de la Saint-Barthélémy – 3000 protestants sont assassinés – et culmine dans le siège de la ville par Henri de Navarre en 1589. Quand la Sainte Ligue capitule, 13 000 Parisiens sont déjà morts de faim. Henri se fait couronner à Chartres et entre dans Paris en 1594, après s'être converti au catholicisme. Sa célèbre formule, «Paris vaut bien une messe», demeure à ce jour un point de vue ambigu sur la valeur politique de la religion et sur l'attrait tout particulier de la capitale française. Le mythe parisien prend de l'ampleur.

Henri IV, maître de Paris, va faire honneur à la ville. Il fait construire deux des plus belles places parisiennes: la place des Vosges et la place Dauphine; il ajoute au charme des rives les quais de l'Arsenal, de l'Horloge et des Orfèvres, ainsi que la célèbre machine hydraulique de la Samaritaine, chargée d'alimenter en eau potable les habitants de la rive droite jusqu'en 1813. Henri IV est de loin le roi de France le plus populaire. De notoriété publique un homme à femmes, il est connu de ses sujets comme «le Vert-Galant». Ayant achevé la construction du Pont-Neuf, qui est de nos jours le plus vieux pont de Paris, il y adjoint les jardins où il avait l'habitude de badiner avec ses belles amies.

Sous Louis XIII (1610–43) Paris commence à revêtir cette élégance qui deviendra son image de marque. Le Cours-la-Reine, ancêtre des Champs-Elysées, est ouvert en l'honneur de Marie de Medicis, veuve du Roi Henri. D'élégantes demeures s'érigent dans le faubourg Saint-Honoré; de superbes hôtels particuliers poussent dans le quartier du Marais, et, de la Madeleine à la Bastille, la ligne ombragée des Boulevards inaugure une nouvelle forme d'urbanisme. On y voit déjà l'architecture aérée du Paris moderne. La capitale af-

Le Palais-Bourbon abrite l'Assemblée Nationale, siège du Parlement français.

fermit son rôle centralisateur: la fondation des imprimeries royales, l'Académie Française créée à l'instigation du cardinal de Richelieu, la naissance de plusieurs sociétés scientifiques, en particulier le Jardin des Plantes, et l'accession de Paris au rang d'archevêché en sont les exemples les plus marquants. C'est aussi au cardinal que l'on doit le splendide Palais-Royal. L'île Saint-Louis, formée par la réunion de deux îles en 1614 par l'architecte Christophe Marie, et le développement des quartiers du Marais et de Saint-Germain-des-Prés confèrent à Paris un attrait irrésistible pour la riche noblesse de province.

Mais pour Louis XIV (1643–1715) cet attrait devient un problème. Pour mettre au pas la noblesse, il transporte la cour à Versailles, à un jet de pierre de la capitale, où la vie de palais est ruineuse. Paris devient une sorte d'arrière-poste, mais continue toutefois

d'embellir grâce à la création, à l'instigation de Jean-Baptiste Colbert, conseiller du roi, du Jardin des Tuileries et des Champs-Elysées; on construit aussi la grande colonnade du Louvre, les arcs de triomphe des portes Saint-Antoine, Saint-Denis et Saint-Martin, et l'hôpital des Invalides pour les soldats blessés au service du roi. Inquiet du penchant des Parisiens pour les désordres publics, le Roi-Soleil innove dans le domaine de l'éclairage des rues.

Paris assoit son hégémonie culturelle en Europe: après l'institution des Académies (arts, littérature et sciences), on fonde la Comédie-Française (1680) puis de nouveaux théâtres sous Louis XV. Les cafés fleurissent autour du Palais-Royal et les boulevards deviennent le foyer de la vie intellectuelle européenne à l'approche de la Révolution.

L'une des dernières réalisations de l'Ancien Régime fut un mur de 23 kilomètres autour de la ville. Entreprise en 1784, cette enceinte allait devenir l'un des principaux facteurs d'agitation sociale: c'est ici que les fermiers-généraux percevaient les impôts dus par les marchands et artisans venus à Paris faire commerce. Il devint le symbole de l'injustice sociale.

Du pont Alexandre III, la vue porte sur le gracieux Hôtel des Invalides, où repose la dépouille de Napoléon.

Le Paris de Napoléon

La Révolution de 1789 a laissé dans son sillage plus de traces de destructions que de fleurons architecturaux. Du moins la destruction de la Bastille, des monastères et autres couvents donna-t-elle un grand coup de balai dans le paysage urbain. Pour les révolutionnaires, la forteresse de la dynastie capétienne avait une utilisation toute trouvée: la Conciergerie du Palais de Justice – le cœur même du château des monarques du Moyen Age – devint une prison pour les condamnés des tribunaux révolutionnaires.

Et le docteur Guillotin, ce parlementaire qui réclamait de l'époque un substitut plus humain aux pendaisons et écartèlements de l'Ancien Régime, mit au point un nouvel appareil à décapiter.

Avec l'avènement de Napoléon, le développement de la ville redémarre. Les fréquents déplacements de l'empereur à l'étranger ne sont pas pour autant des freins à son projet de faire de Paris la capitale de l'Europe. Il emportait toujours dans ses bagages des cartes détaillées de la ville et des projets d'architecture pour de nouveaux édifices. Même pendant son étape moscovite, il trouva le temps d'étudier un projet de réorganisation de la Comédie-Française. Alors que la plupart des visiteurs voient la marque de l'empereur dans des monuments spectaculaires – l'arc de Triomphe, les 12 avenues partant de la place de l'Etoile, la colonne de la Grande Armée sur la place Vendôme – Napoléon considérait, quant à lui, que ses plus grandes réussites étaient les améliorations apportées à la vie civile, davantage l'œuvre d'un maire que celle d'un grand conquérant: citons entre autres, l'adduction massive d'eau potable pour la ville, cinq abattoirs et la Halle aux Vins. Il fit aussi construire de nouveaux ponts sur la Seine, et entreprit la construction de la Bourse et de l'église de la Madeleine.

Mais cette centralisation du pouvoir sur la capitale ne pouvait que susciter des révoltes. La cohabitation d'une bourgeoisie ambitieuse, d'un prolétariat mécontent et d'une élite intellectuelle impatiente d'exercer ses idées radicales constituait une menace potentielle. La Révolution de 1830 trouve ses racines dans une alliance entre Parisiens de la bourgeoisie intellectuelle qui se voyaient refuser le droit de publier leurs propres journaux, et les ouvriers de l'imprimerie mis au chômage par les fermetures dans la presse. La Révolution de 1848 qui mit un terme à la monarchie de Louis-Philippe, prit aussi sa source à Paris, lorsque le gouvernement tenta d'interdire la tenue de banquets organisés au profit d'une réforme électorale.

Une capitale toute neuve

Pour Napoléon III, «le petit», moderniser Paris était une nécessité. Il avait été le témoin des soulèvements de 1830 et 1848 qui avaient enflammé les quartiers ouvriers très peuplés entourant le centre même, et il voulait en empêcher la récurrence. A cet effet, il chargea le baron Georges Haussmann d'en finir avec les îlots de ruelles propices aux mécontentements et aux barricades. Le baron rasa tout et relogea les occupants en banlieue, créant la «ceinture rouge» de Paris qui fait d'elle l'une des rares capitales occidentales dotée de banlieues à majorité non conservatrice. Cette approche sans concessions fit place à un «nouveau» Paris, certes bien éloigné de l'ancien, mais non dénué de charme pour autant.

De larges boulevards et avenues furent taillés, donnant à Paris un caractère lumineux et aéré qui met en valeur ses édifices. De surcroît, comme Haussmann l'expliquait à l'empereur, quels beaux champs de tir en cas d'insurrection... Mais ce second Empire fut aussi une époque de vie légère et de joyeux débordements. Les Expositions universelles de 1855 et de 1867 attirèrent les souverains d'Angleterre, d'Autriche, de Russie et de Prusse, anxieux de découvrir la pétillante ville nouvelle, dépeinte dans les opérettes d'Offenbach et les comédies de Labiche. C'était le début du «gai Paris».

Survint alors la guerre franco-prussienne et le terrible siège de Paris en 1870, suivi d'un autre soulèvement, des barricades et de bien d'autres malheurs. La Commune de Paris – le gouvernement des ouvriers – tint 10 semaines en tout et pour tout (du 18 mars au 29 mai 1871) jusqu'à ce qu'Adolphe Thiers, premier président de la IIIe République, fit donner la troupe versaillaise pour écraser la révolte.

En avant, toujours plus haut

La IIIe République donna à Paris une prospérité jamais égalée. On acheva les projets mis en chantier sous Napoléon III: le nouvel Opéra et les gigantesques Halles (aujourd'hui transférées à Rungis, dans la banlieue sud). La capitale se releva triomphalement de sa défaite contre les Prussiens et se lança à corps perdu dans les constructions. La vedette en fut la tour Eiffel (1889), rendue possible par les immenses progrès des techniques du fer. A la même époque et en sous-sol, le splendide métro apportait à la cité sans cesse en expansion un moyen de transport confortable et rapide.

Dans les années 1890, Paris était devenu un pôle d'attraction culturel de premier ordre. Artistes, écrivains, et révolutionnaires affluaient au cœur de cette activité créatrice. Picasso arrive de Barcelone en 1900. Modigliani le suit, venu de Livourne, Soutine de Minsk et Stravinsky de Saint-Pétersbourg. Gertrude Stein arrive de San Francisco, suivie de la longue litanie d'artistes et écrivains américains, Ernest Hemingway et F. Scott Fitzgerald en tête.

Bien sûr, deux guerres c'est beaucoup. Bien que les

Allemands ne soient pas parvenus à atteindre Paris lors de la Première Guerre mondiale, ils se rattrapèrent en occupant la capitale pendant quatre années de grisaille (de juin 1940 à août 1944). A vrai dire, ce dont les Français se souviennent, c'est de cette revue militaire du mois d'août où le général de Gaulle et ses troupes descendirent les Champs-Elysées. Même si, à cette époque, Paris avait cédé une partie de son magnétisme culturel à New-York, la capitale conservait encore quelque chose de son passé: Jean-Paul Sartre tenait salon rive gauche et Juliette Gréco chantait à Saint-Germain-des-Prés.

En mai 1968, les étudiants et les ouvriers retrouvèrent le vieil esprit révolutionnaire. Les murs se couvrirent de slogans spirituels et vigoureux, et les pavés du Quartier latin volèrent à la face suffisante de «l'establishment» de la Ve République gaullienne. Le président Pompidou ramassa les morceaux et assit le nouvel âge de prospérité sur les voies expresses et les gratte-ciel. Cela dit, le plus beau fleuron de sa couronne est le Centre Culturel Beaubourg; très controversé à l'époque, il remporte maintenant un succès fou.

En 1977, pour la première fois de son histoire, Paris élit démocratiquement son maire, Jacques Chirac. Depuis plus d'un siècle, c'était le gouvernement de l'état qui tenait la ville sous sa coupe, par le biais de ses fonctionnaires appointés. De nos jours, dans un pays où les politiciens peuvent cumuler les fonctions de maire et de premier ministre, les Parisiens ont tout à gagner d'un patron désireux d'asseoir plus solidement ses ambitions politiques nationales par une gestion municipale dynamique.

De son côté, le président Mitterand veut imprimer sa marque sur le paysage parisien à travers d'impressionnantes réalisations: la Grande Arche de la Défense, l'Opéra de Paris-Bastille, l'Institut du Monde arabe, le nouveau Ministère des Finances et tout un programme de réorganisation du Louvre autour d'une gigantesque pyramide de verre.

Paris sort à coup sûr gagnant de cette surrenchère des rivalités politiques. La ville retrouve ainsi sa suprématie dans le domaine de la création artistique et elle continue à répandre sur le monde entier une stupéfiante influence culturelle.

Avec la Grande Arche de La Défense (à droite) et le ministère des Finances (en bas), Paris se tourne vers l'avenir.

Que voir

Paris peut se vanter d'être l'une des grandes cités où l'on se déplace le mieux. Les embouteillages n'ont pas disparu (ils sont encore pires), mais la capitale a eu l'audace de confronter l'avenir et de se doter d'un système de métro, facile, rapide, régulier et ponctuel. De plus, il y a le réseau d'autobus qui vous permet des visites touristiques à un prix très compétitif, et en respectant leurs horaires. Et si la paresse vous gagne, pourquoi ne pas prendre un taxi? Le prix en est encore abordable.

A vrai dire, les distances à parcourir sont relativement réduites; par exemple, à partir de la majorité des hôtels des 20 arrondissements, on peut se rendre à pied à presque toutes les curiosités de la ville. Si vous avez du temps devant vous, la marche à pied est le choix qui s'impose pour «prendre la température» de la ville – il vous suffit d'une paire de chaussures solides et confortables. Pour repérer votre chemin, les plans du métro

sont explicites, tant pour les usagers que pour les piétons. Les zones piétonnes se multiplient, d'ailleurs: parcs, squares et jardins, mais aussi rues et quartiers entiers, tels que Beaubourg et les Halles.

Représentez-vous le centre de Paris comme un cercle: la Seine le traverse de part en part, et regroupe sur ses rives plusieurs arrondissements clés. Suivez le fleuve et vous ne manquerez pas de trouver sur votre route l'un ou l'autre des hauts-lieux de la ville: la place de la Concorde ou le Louvre, par exemple. Entre la gare de Lyon et le boulevard de Grenelle 27 ponts, pas moins, de toutes formes et de toutes tailles enjambent la Seine.

N'oubliez pas non plus les numéros des maisons: Napoléon dota toutes les rues de numéros, pairs à droite et impairs à gauche en regardant depuis la Seine. Pour les rues parallèles au fleuve, elles sont numérotées en partant de l'amont.

Les majestueuses avenues parisiennes rayonnent depuis l'arc de Triomphe.

Où commencer? Il ne s'agit pas de partir du mauvais pied lors de votre première visite. Ainsi, pourquoi ne pas emprunter le bateau mouche? La visite en bateau vous permettra de découvrir Paris sous son jour le plus romantique, tout en vous donnant une vue d'ensemble de la capitale.

Pour plus de facilité, ce guide concentre les principaux musées (ou, du moins, leur contenu) dans une section spéciale (voir pp.83–91) Paris recèle une infinité de musées passionnants et le choix sera difficile. Une carte d'entrée Musées et Monuments (voir p.119) est un bon investissement si vous avez l'intention d'en visiter beaucoup.

Entre rive droite et rive gauche, le cœur balance; pour trancher, commençons par les îles. En plein centre de Paris, elles sont d'accès facile et offrent une excellente introduction à la capitale: Paris et son fleuve sont indissociables; et où pourraient-ils être plus proches que sur les îles sœurs?

Les îles

L'ILE DE LA CITÉ

Berceau d'une ville qui tira sa prospérité de son fleuve, l'île de la Cité revêt la forme appropriée d'un bateau dont la proue serait le square du Vert-Galant. C'est ici que les pêcheurs et mariniers de *Lutetia* élurent domicile, et la petite île est demeurée à travers les siècles le cœur de la ville. Elle témoigne aussi de tous les ravages causés par un urbanisme ambitieux et impitoyable. Le défigurement de ces charmants quartiers est dû à Haussmann, qui ne ménageait pas ses «victimes». Au XIXe siècle, le baron tailla largement dans les quartiers les plus anciens, du Moyen Age et du XVIIe siècle, pour ne garder que la place Dauphine et la rue Chanoinesse, seuls témoins de l'opulence passée de l'île.

Il avait même songé à remplacer la gracieuse architecture de briques roses de la place Dauphine par une cour carrée à colonnades néogrecques. Fort heureusement, il tomba en disgrâce pour avoir falsifié ses livres de comptes. Cette place, à deux pas de l'animation du Pont-Neuf, fut construite en 1607 par Henri IV en l'honneur de son fils, le Dauphin, futur Louis XIII. Hélas! Seules demeurent dans leur état d'origine les maisons des n°s 14 et 26 depuis les «améliorations» introduites au XVIIIe siècle par les promoteurs immobiliers de l'époque.

L'intime, le grandiose...

Même si le Palais de Justice consiste en un complexe de bâtiments abritant les services centralisés de l'appareil judiciaire de la France moderne, il fleure toujours bon le passé. Les premiers rois du pays y résidèrent, suivis, plus tard, par les aristocrates et les chefs révolutionnaires, qui y furent emprisonnés en attendant leur exécution; leurs fantômes hantent encore ses couloirs. Le Palais recèle un chef-d'œuvre de style gothique, la **Sainte-Chapelle**, dont les superbes vitraux et les magnifiques pro-

Sous les ponts de Paris

Non moins de 27 ponts enjambent la Seine, et parmi cette remarquable collection, quatre d'entre eux retiennent particulièrement notre attention:

Le **Pont-Neuf**, en dépit de son nom, est le plus ancien de Paris. Achevé en 1606 sous le règne d'Henri IV, ce fut le premier pont construit sans surcharge de maisons: les Parisiens découvrirent alors le plaisir d'admirer leur fleuve en le traversant. Il devint ainsi rapidement le rendez-vous des promeneurs, puis le lieu de prédilection des chanteurs de rue, arracheurs de dents, péripatéticiennes, voleurs à la tire et, par-dessus tout, des bouquinistes, avec leurs boîtes pleines de livres d'occasion et de pamphlets. Les libraires de la cité en prirent ombrage et les reléguèrent sur les quais, où ils se trouvent encore.

Le **Pont-Royal**, construit sous Louis XIV en 1685, domine le magnifique panorama des Tuileries et du Louvre. C'est le pont le plus central de Paris, offrant une jolie vue sur les Grand et Petit Palais, ces deux édifices «grands bourgeois», ainsi que sur l'école des Beaux-Arts et l'Institut de France.

Le **pont de la Concorde**, pont de la Révolution par excellence, fut construit entre 1787 et 1790. Pour le gros œuvre, on récupéra des pierres à la destruction de la Bastille, fait d'autant plus humiliant pour les royalistes qu'à l'origine, le pont devait s'appeler Louis XVI. Il fut nommé pont de la Révolution l'année précédant l'exécution du roi sur la place de la Concorde, à deux pas de là.

Le **pont Alexandre III** est caractérisé par son unique arche en acier. C'est le symbole du triomphe de l'ère industrielle, dont la tour Eiffel est le meilleur exemple. La première pierre en fut posée par le tsar Nicolas II, fils d'Alexandre III, en 1896; les travaux se terminèrent à la fin du siècle. Les puristes lui reprochent ses statues ampoulées de la Renommée et de Pégase. Par contre, les amoureux qui se promènent au clair de lune sous le pont belle époque en apprécient le côté mélo. Evitez de troubler le sommeil des clochards.

portions ne font qu'accentuer la lourdeur du Palais lui-même. La Chapelle fut édifiée en 1248 par le pieux roi Saint-Louis (Louis IX) pour abriter les reliques cédées par l'empereur de Constantinople. Les 15 **vitraux** comprennent 1134 pièces, relatant notamment des scènes de l'Ancien Testament; 720 d'entre eux sont les originaux du XIIIe siècle. Que rêver de mieux pour une salle de concert?

Entre 1789 et 1815, la Sainte-Chapelle servit tour à tour d'entrepôt à farine et de club de dandies, avant de devenir un centre d'archives sous le Consulat. C'est du reste à cette dernière fonction qu'elle doit d'avoir été sauvée de la destruction: l'administration de l'époque ne savait pas où déménager sa montagne de papiers.

De nos jours, les paperasses sont logées dans le Palais de Justice et à la Préfecture de Police, toute proche. Ce qui, en 360, fut le lieu de couronnement de l'empereur Julien, puis devint la résidence des rois mérovingiens Clovis, Childebert, Chilpéric et Dagobert, fait aujourd'hui strictement partie de l'univers de Maigret. La grande salle des Pas-Perdus mérite une visite si l'on veut observer magistrats, plaignants, témoins, journalistes et badauds y attendre avec nervosité que la machine judiciaire se mette en marche.

... et le macabre

Mais que dire de l'anxiété que pouvaient ressentir les accusés se morfondant dans les cachots de la **Conciergerie** (accès par le quai de l'Horloge)! Le bâtiment tire son nom du concierge appointé par le roi auprès des criminels de droit commun. Après le 6 avril 1793, au plus fort de la Terreur, la Conciergerie devint littéralement «l'antichambre de la guillotine». Plus d'un prisonnier illustre y passa sa dernière

La Conciergerie, sur le quai de l'Horloge, ne manque pas de rappeler les jours sombres de la Terreur.

nuit dans la galerie des Prisonniers, une fois prononcée la sentence du tribunal révolutionnaire: Marie-Antoinette, Danton, Saint-Just et Robespierre (lui même coupable d'en avoir fait jeter plus d'un en prison) s'y succédèrent.

Dans la salle des Girondins sont exposés un couperet de guillotine, le crucifix de Marie-Antoinette et le verrou de la cellule de Robespierre. Jetez un coup d'œil dans la cour des Femmes, où maris, amants, épouses et maîtresses avaient droit à un ultime rendez-vous avant l'arrivée des charrettes. On estime à 2500 le nombre des pensionnaires de la Conciergerie victimes de la guillotine.

Notre-Dame de Paris

Le site de Notre-Dame de Paris est sacré depuis plus de deux millénaires. A l'époque gallo-romaine, un temple dédié à Jupiter s'y élevait. Quelques vestiges de la structure d'origine, mise à jour en 1711, sont exposés au musée de Cluny (voir p.58). La première église

La cathédrale Notre-Dame dresse fièrement ses tours sur l'île de la Cité. A droite: le portail de la cathédrale.

chrétienne, Saint-Etienne, y fut bâtie au IVe siècle. Deux siècles plus tard, on lui adjoignit une deuxième église, consacrée à Notre-Dame. Les pillages de Paris par les Normands laissèrent les deux édifices en piteux état, et l'évêque de Paris, Maurice de Sully, autorisa en 1163 la construction d'une cathédrale pour les remplacer. Il fallut 167 années pour achever l'essentiel de l'édifice. Le mélange des styles – roman et gothique –

constitue, selon certains, une parfaite synthèse de l'architecture médiévale. Saint-Bernard, toutefois, n'était pas de cet avis: il trouvait qu'un édifice aussi somptueux était un affront à la divine vertu de pauvreté.

Haussmann est une nouvelle fois sujet à critique pour avoir sensiblement agrandi le parvis de la cathédrale, diminuant ainsi, paraît-il, l'impact grandiose de la façade. Certains avancent, au contraire, que l'esprit du Moyen Âge a été restitué par le retour de l'animation de la place; c'était en effet le lieu des exécutions publiques au cours desquelles la populace était conviée à jeter sur les condamnés fruits et œufs pourris, gracieusement fournis par les autorités.

Notre-Dame n'en demeure pas moins un impressionnant monument, sans conteste l'église paroissiale de la nation. Elle a été le témoin de grands événements nationaux: en 1239, Louis IX traverse la cathédrale pieds nus, portant la sainte couronne d'épines; en 1430, c'est l'humiliant couronnement d'Henri VI d'Angleterre comme roi de France; en 1594, la messe où Henri IV se convertit au catholicisme pour consolider son accession au trône de France; c'est aussi ici qu'en 1804 Napoléon se sacre empereur (le pape Pie VII est présent à la cérémonie, mais c'est Napoléon lui-même qui se pose la couronne sur la tête). Plus récemment encore, elle fut le lieu des funérailles nationales de Foch, Leclerc et de Gaulle.

Compte tenu du gigantisme de la cathédrale, ses proportions équilibrées et sa façade harmonieuse tiennent du miracle. La **grande rose**, avec en son cœur une *Vierge à l'Enfant*, dépeint la Rédemption après la Chute. Levez les yeux vers la **galerie des Rois**, au-dessus des trois portails. Ces 28 statues représentant les rois de Judée et d'Israël furent abattues par les révolutionnaires qui les prirent pour les rois de France; elles furent restaurées par la suite.

A l'intérieur, l'exceptionnelle luminosité provient en grande partie des deux énormes rosaces du transept. A droite en entrant dans le chœur, ne manquez pas la très belle **Vierge à l'Enfant**, du XIVe siècle ; elle porte le nom de la cathédrale, Notre-Dame de Paris.

On ne connaît pas le nom du tout premier architecte, mais c'est à Pierre de Montreuil (associé à la conception de la Sainte-Chapelle) que nous devons la plupart des travaux effectués au XIIIe siècle. La structure actuelle, avec ses tours majestueuses, sa flèche et ses étonnants arcs-boutants doit beaucoup à Viollet-le-Duc, qui travailla patiemment de 1845 à 1863 à restaurer la cathédrale, après les ravages du XVIIIe siècle. Pour une fois, il faut reconnaître que les prétendus travaux d'embellissement des pré-révolutionnaires sont davantage à blâmer que les ravages occasionnés par les révolutionnaires eux-mêmes.

Les cloches d'origine ont disparu, à l'exception du bourdon, qui date de 1400, placé dans la tour sud. La pureté renommée de son timbre date de 1680 environ, lorsqu'on décida de refondre le bronze initial en lui ajoutant les bijoux d'or et d'argent offerts par la cour de Louis XIV.

Faire l'ascension de la tour est pénible, sans doute, mais en raison de sa situation toute centrale, la cathédrale vous offre des vues magnifiques, en particulier sur le cours de la Seine à travers la cité. Là, vous vous trouverez face à face avec les délires de pierre des maçons du Moyen Age. Un bestiaire étrange et merveilleux de gargouilles et d'arcs-boutants vous replongera tout droit dans l'univers de Victor Hugo.

L'ILE SAINT-LOUIS

Même si un pont les relie, on ne peut trouver de sœurs aussi différentes que les deux îles parisiennes. L'île Saint-Louis est un îlot de verdure enchanté où il fait bon vivre, le domaine cher au cœur d'une élite fortunée. Le président Pompidou habitait le quai de Béthune, et délaissait le palais de l'Elysée en sa faveur aussi souvent que ses fonctions le lui permettaient.

En accord avec l'ambiance raffinée de l'île, l'église de **Saint-Louis-en-l'Ile** rivalise d'élégance avec les grandes demeures qui l'entourent. Claire et lumineuse, elle baigne d'une lueur dorée une merveilleuse collection d'art hollandais, flamand et italien des XVIe et XVIIe siècles, et quelques splendides tapisseries du XIIe siècle.

Au 17, quai d'Anjou, s'élève la demeure la plus remarquable de l'île: l'**Hôtel Lauzun**. Il fut édifié dans les années 1650 par Louis le Vau, celui-là même qui contribua à la façade du Louvre, côté Seine, et au château de Versailles. Une autre impressionnante demeure du XVIIe siècle, l'**Hôtel Lambert**, également conçue par le Vau, se dresse à l'angle de la rue Saint-Louis-en-l'Ile. Voltaire y vécut jadis une liaison orageuse avec la maîtresse des lieux, la marquise du Châtelet.

Mais peut-être le plus grand plaisir consiste à flâner à l'ombre des peupliers jusqu'à l'extrémité ouest du quai d'Orléans. Vous jouirez alors d'une **vue** spectaculaire sur le chevet de Notre-Dame, qui vaut bien la façade de la cathédrale.

Remontez la file d'attente pour parvenir aux portes de *Berthillon*, le plus fameux glacier de Paris. Une soixantaine de parfums vous y attendent.

Les amateurs de glaces se bousculent chez Berthillon.

La rive droite

LE GRAND APPARAT

(Etoile–Concorde–Palais-Royal)

La rive droite embrasse toute la gamme: du grand chic au vaguement sordide, en prenant Montmartre dans la foulée. Elle abrite aussi, pour une grande part, les quartiers chics et chers, les Grands Boulevards, Clichy et Pigalle, les ambassades et les Champs-Elysées, le quartier des affaires et la Bourse, la Défense et sa Grande Arche, le Louvre, les Tuileries, le Marais, le quartier juif, la Bastille – en pleine renaissance – et bien d'autres choses encore.

Les sites vedettes

Toute visite de la rive droite se doit de commencer par la **place de l'Etoile** (officiellement, place Charles-de-Gaulle), et de préférence par le sommet de l'**arc de Triomphe**. Une bonne raison de faire l'ascension de l'arc gigantesque (50m de haut, 45m de large) tient à la vue superbe de l'étoile à 12 branches formée des 12 avenues rayonnant autour de la place – un tour de force géométrique. Tel une toile d'araignée, un anneau satellite de grandes artères forme un cercle parfait autour de l'arche. On ne peut en saisir l'ensemble et sa stupéfiante beauté que d'en haut, car elle est située sur un léger plan incliné. Le monument fut conçu par l'empereur lui-même, en commémoration des victoires et en hommage aux héros des guerres révolutionnaires et napoléoniennes, mais c'est le baron Haussmann qui mena l'œuvre à son terme pour le compte de Napoléon III. Au fil des ans, l'arc a revêtu un statut quasi mystique: il est devenu le réceptacle de l'esprit de la nation, sous l'Empire et la République.

Napoléon n'en connut jamais qu'une maquette grandeur nature, en bois et toile peinte. L'arc devint le théâtre des funérailles nationales des grands hommes d'Etat, des grands soldats et même d'hommes de lettres: les plus grandioses furent, sans conteste, celles de Victor Hugo en 1885. En 1920, on enterra sous l'arche la dépouille du Soldat inconnu, en souvenir des morts de la Grande Guerre, et trois ans plus tard, on y alluma la flamme éternelle. Lorsqu'en 1940, Hitler investit Paris, sa première

Des rues en nom et en large

Au XIIe siècle, sous Philippe Auguste, Paris ne comptait que 300 rues tortueuses et boueuses. De nos jours, 5250 boulevards, avenues, places, rues, passages, galeries et impasses vous racontent l'histoire de la capitale, et par extension, du pays. A Paris aussi, le nom des rues change pour un oui ou pour un non, au gré des tendances politiques ou à la demande populaire. Les noms ne se sont vraiment fixés qu'à partir du XVIIe siècle. Les municipalités de l'époque y virent une manière nouvelle d'honorer leurs illustres prédécesseurs, et plus encore, de faire des courbettes aux puissants du jour. Jusqu'alors, les rues portaient les noms pittoresques que leur attribuait le peuple.

Si l'armée est particulièrement bien représentée (avec une cinquantaine de noms de généraux), c'est l'Eglise qui se taille la part du lion, avec 150 noms d'ecclésiastiques. Il y a même une impasse Satan, si petite qu'elle n'apparaît pas sur la plupart des cartes, et un passage d'Enfer, à sens unique, comme il se doit. Fort heureusement, il y a aussi une impasse Dieu, à ne pas confondre avec la rue Dieu qui emprunte son nom à un général napoléonien.

La France a des tendances hypocondriaques; ne nous étonnons donc pas si une quarantaine de rues portent des noms de médecins. Quant aux femmes, elles ne sont pas aussi honorées qu'on pourrait l'espérer: seules Jeanne d'Arc et George Sand s'en tirent bien. Les Français aiment le bon vin: on trouve donc des rues de noms d'appellations contrôlées, Graves par exemple. Quant aux dames de petite vertu, elles ont donné le nom de leur commerce à une foule de rues sordides.

visite fut pour l'arc. Et c'est de l'arc que de Gaulle commença sa descente triomphale des Champs-Elysées à la Libération.

L'**avenue Foch** mène de l'Etoile au Bois de Boulogne. C'est l'une des plus majestueuses artères de la capitale et aussi l'une des plus heureuses réalisations du baron Haussmann. Elle est, à coup sûr, l'une des avenues résidentielles les plus chic de la capitale, bien que les joueurs de boules sur ses allées la démocratisent quelque peu.

L'avenue de la Grande Armée pique droit sur Neuilly; au bout se profilent les tours de la Défense et la Grande Arche en arrière-plan. Elle fait partie de la réalisation en cours d'achèvement d'un grand axe est-ouest à travers la capitale.

Il est de bon ton, de nos jours, de snober les **Champs-Elysées**. Les Parisiens vous

L'Obélisque de Louxor, sur la place de la Concorde, est le plus ancient monument de Paris.

diront volontiers qu'ils n'y ont pas mis les pieds depuis longtemps. En dépit d'une intense activité mercantile, ils demeurent toujours l'une des plus belles avenues du monde. Reliant l'arc de Triomphe à la place de la Concorde en une ligne impeccablement droite, légèrement en pente, et rehaussée de marronniers sur toute sa longueur, les Champs-Elysées font l'objet de soins attentifs, et l'on ne cesse de l'embellir en y plantant de nouveaux marronniers. Les deux tiers supérieurs de l'avenue sont réservés aux cinémas, aux compagnies aériennes, aux galeries d'art, boutiques et terrasses de cafés. Si vous voulez observer la faune, le meilleur coin est compris entre l'avenue Georges V et la rue de Lincoln, côté ombre, et la rue du Colisée, côté soleil.

Passé le **Rond-Point**, changement d'ambiance: un jardin tiré au cordeau vous mène jusqu'à la place de la Concorde; sur votre route, à votre droite le **Petit-Palais** et le **Grand-Palais**, tout de verre et d'acier, furent construits l'un et l'autre pour l'Exposition universelle de 1900. Ils abritent maintenant de grandes expositions de maîtres; le Petit-Palais possède aussi des collections privées permanentes de maîtres du XIXe siècle. Le Grand-Palais partage son énorme bâtisse avec le palais de la Découverte, consacré aux sciences. C'est l'astronomie qui y a la part du lion, et dans le planétarium, vous pouvez observer au plafond la ronde de 9000 étoiles et planètes.

La **place de la Concorde** a bien du mal à justifier son nom. C'est le plus grand tourment des automobilistes parisiens. Rien d'étonnant: il faut des nerfs d'acier pour se jeter dans l'arène. Quant à son passé, il est encore bien plus tragique: plus d'un millier de personnes y furent guillotinées pendant la Révolution; en 1934, une émeute y fut réprimée dans le sang; dix ans plus tard elle fut le dernier bastion allemand à la Libération de Paris.

Cette vaste place, à l'élégance et la grâce incomparables, fut dessinée par Jacques-Ange Gabriel en 1753, mais la

Révolution la débarrassa bientôt de toute trace de royauté. D'abord, son nom d'origine, place Louis XV, lui fut lestement ôté, puis la statue du roi fut remplacée par la guillotine. Les célèbres *Chevaux de Marly*, du sculpteur Coustou (1740–45), montent la garde à l'entrée des Champs-Elysées (ils seront bientôt exposés dans l'aile neuve du Louvre). En plein centre de la place, vous découvrirez le doyen des monuments de Paris: l'Obélisque de Louxor; en granit rose, haut de 23m, il provient du tombeau de Ramsès II et date du XIIIe siècle av. J.-C. Pour une fois, ce n'est pas Napoléon qui le ramena de ses campagnes; érigé sur la place en 1836, c'est un cadeau de Mohammed-Ali, vice-roi d'Egypte.

Les jardins

Après l'agitation des Champs-Elysées et de la Concorde, reposez-vous à l'ombre des marronniers du **Jardin des Tuileries**. (Son nom provient d'une fabrique de tuiles installée en cet endroit au XIIIe siècle.) L'impressionnante superficie du jardin est due à la destruction, pendant la Commune de 1871, du palais des Tuileries (on peut d'ailleurs en voir les vestiges au Jeu de Paume, dans l'angle ouest du jardin). Les enfants adoreront les promenades à dos d'âne, les spectacles de marionnettes à la belle saison, et le grand bassin circulaire où l'on peut faire naviguer des bateaux. Du côté de la Seine, l'**Orangerie** est surtout connue pour les salles du rez-de-chaussée, décorées des splendides fresques de Monet, *Les Nymphéas*; n'oubliez pas, cependant, d'admirer, au 1er étage, la collection dite Jean Walther et Paul Guillaume, qui comprend des œuvres de Cézanne, Renoir, Utrillo, le Douanier Rousseau et Picasso.

A l'extrémité est des Tuileries se dresse, tout rose, l'**arc de Triomphe du Carrousel**, à peu près contemporain de celui de l'Etoile, mais plus petit. On peut le voir en ligne droite dans la perspective de l'Obélisque. C'est Napoléon qui avait conçu cette imposante perspective pour l'admirer

Les retraites ombragées

Le très chic XVIe arrondissement dispose de son propre lieu de détente: Le **Bois de Boulogne**, que les résidents de la banlieue ouest appellent plus familièrement «le Bois». Ses 9000km² sont tout ce qui reste de l'ancienne forêt de Rouvray, laissée en friche jusqu'en 1852, lorsque Napoléon III décida d'en faire un lieu de récréation et de repos pour les Parisiens.

Le baron Haussmann y apporta des aménagements qui demeurent parmi ses réussites; le Bois, de nos jours, est un bel espace vert, conçu dans l'esprit des parcs à l'anglaise.Une de ses attractions majeures est le parc de Bagatelle, jardin clos où se tiennent les belles floralies de la capitale.

Mais le soir, le Bois prend une toute autre allure: investi par des travestis, il devient alors une zone plutôt crapuleuse. Le SIDA gagnant du terrain, de sévères contrôles ont lieu sur les activités nocturnes. Le Bois est dorénavant fermé à partir de 20h.

de sa chambre à coucher du Louvre. Aujourd'hui, la vue est un peu gâchée par la cohorte brumeuse des gratte-ciel de la Défense se profilant à l'horizon. Les grands travaux de construction d'un parking souterrain, ainsi que la restauration de l'aile Richelieu du Louvre, tendent à isoler un peu le Carrousel; cela dit, dans quelques années, la promenade depuis la Concorde, via les Tuileries, le long du Louvre, jusqu'à l'église Saint-Germain l'Auxerrois, sera magnifique.

Longez le musée du Louvre, sublime et majestueux (pour la visite, voir p.83), et traversez la rue de Rivoli jusqu'au **Palais-Royal**. Construit en 1639 pour servir de résidence au cardinal de Richelieu, il s'appela d'abord le Palais-Cardinal, pour changer d'adjectif quand Anne d'Autriche s'y installa avec le jeune Louis XIV. Ce palais

aux arcades sereines, aux jardins plantés de tilleuls et de hêtres, a toujours été un lieu haut en couleurs, aux activités plus ou moins recommandables. Il abrita le premier théâtre à l'italienne à Paris, et Corneille y représenta *Le Cid*.

Pendant la minorité de Louis XV, le régent Philippe d'Orléans en fit le théâtre d'orgies notoires. Pour éponger ses dettes, la prodigue famille d'Orléans transforma les pièces du rez-de-chaussée en boutiques et cafés fréquentés par la société à la mode. Ces boutiques existent encore et sont l'apanage de la numismatique, des soldats de plomb et d'antiquités en tout genre. L'endroit draina bientôt une faune de parasites douteux: artistes, charlatans, prostituées et pickpockets, de même que les artistes et les intellectuels. Le 13 juillet 1789, un jeune orateur enflammé, Camille Desmoulins, se hissa sur une table du café de Foy pour lancer l'appel aux armes qui déclencha la Révolution. On raconte qu'après Waterloo, le général prussien Blücher réussit à flamber 1 500 000 francs en une nuit dans l'un des nombreux tripots de l'endroit. Puis le Palais-Royal tomba en dé-

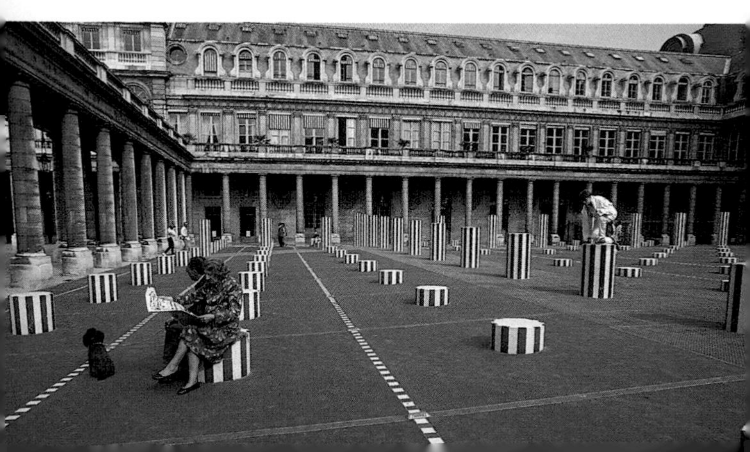

suétude au profit des Grands Boulevards; il se rangea peu à peu, et devint un lieu prisé des artistes et des écrivains. Colette y avait son domicile.

Les fenêtres du ministère de la Culture donnent sur les **colonnes de Buren**. Ces colonnes de marbre blanc ont donné lieu à controverse; tronquées à des hauteurs variables, elles furent érigées dans la cour centrale en 1986. Certaines sont toutes désignées pour servir de sièges, alors que d'autres se prêtent aux jeux des enfants; il n'y a guère que les chiens pour accorder leurs faveurs à toutes.

Lieux de grand renom

Derrière le Palais-Royal, on découvre deux vénérables institutions dignes d'intérêt: la **Banque de France** et la **Bibliothèque nationale**. La construction (sur la rive gauche) de la toute nouvelle TGB (Très Grande Bibliothèque) viendra, à point nommé, à la rescousse de son aînée. C'est en 1368 que naît l'idée d'une bibliothèque royale, lorsque Charles V installe 973 manuscrits dans sa bibliothèque du Louvre; cependant, c'est François 1er qui fait l'acquisition de nouveaux livres et fait recopier des manuscrits orientaux, latins et grecs, et les met à la disposition des chercheurs. En 1573, il fait aussi promulguer une loi rendant obligatoire le don à la bibliothèque royale d'un exemplaire de toute œuvre imprimée. La bibliothèque s'installe dans ses locaux actuels en 1570, mais n'a jamais cessé de s'agrandir pour loger ses 10 millions de livres et périodiques, ses 12 millions de gravures, ses 650 000 cartes et plus de 350 000 manuscrits, dont l'*Evangéliaire* de Charlemagne.

A l'est du Palais-Royal, les anciennes Halles (transférées à Rungis, plus hygiénique mais moins pittoresque) ont fait place à de très agréables jardins, à de nouveaux immeubles et

Utiles? Agréables? Les colonnes de Buren donnent toujours lieu à la controverse.

surtout au **Forum des Halles**, un complexe tubulaire de galeries marchandes. Tout autour, cafés, boutiques et galeries d'art animés font le lien avec le Centre Pompidou, coqueluche des jeunes. L'élégante **fontaine des Innocents**, qui date de la Renaissance, et faisait initialement partie d'un cimetière, est le point de ralliement le plus animé. Tout à côté, la rue Saint-Denis, plutôt miteuse, est notoire pour ses dames de petite vertu.

Sur le côté nord des Halles, se dresse la masse imposante de l'**église Saint-Eustache**, construite à la Renaissance mais dotée d'une ligne gothique; elle possède de remarquables vitraux du XVIIe siècle, réalisés dans la plus belle tradition médiévale.

RICHESSES ET OPULENCE

(Place Vendôme–Opéra–Madeleine)

Toujours sur la rive droite, mais en retrait, Paris recèle encore des trésors d'architecture et des berceaux de verdure.

La **place Vendôme** respire l'opulence. Le choix de l'emplacement revient à Louvois, qui persuada Louis XIV de convertir l'Hôtel Vendôme en un écrin à la gloire du Roi-Soleil. Hardouin-Mansart et Boffrand se chargèrent du projet, et, le 16 août 1699, on érigea une statue équestre du souverain au centre de la gracieuse cour octogonale. Quant aux maisons qui entourent la place, seuls les financiers du roi pouvaient s'en permettre les loyers. De nos jours, le ministère de la Justice partage

Les fontaines publiques (fontaines Wallace)

Le philanthrope anglais, sir Richard Wallace, ne s'est pas contenté de donner à Londres la fameuse galerie du même nom; il a répandu ses bontés sur la capitale française. Né en 1818, il passa une partie de sa jeunesse à Paris et fit don à la ville de 66 fontaines, à une époque où l'hygiène publique laissait grandement à désirer. C'est lui-même qui en conçut le dessin: les quatre cariatides symbolisent la simplicité, la beauté, la sobriété et la charité; elles reposent sur un socle de bronze, sculpté de dauphins qui apparaissent également au sommet du dôme. Avec un poids de 700kg et une hauteur de 2,7m environ, les fontaines déversent 4000 litres d'eau par jour. Au fil des ans, certaines ont disparu ou ont été détruites; elles demeurent cependant une des caractéristiques de la ville. Vous pouvez en voir sur les artères principales, le boulevard Richard-Lenoir, par exemple. L'eau continue à s'en déverser comme aux premiers temps de leur installation. Un seule modification y fut apportée: en 1952, pour des raisons d'hygiène, on ôta les gobelets et leurs chaînes. Les fonderies Sommevoire, qui produisirent la première fontaine en 1873, en continuent la fabrication.

la place avec une poignée de banques internationales, les joailliers les plus prestigieux de Paris et le Ritz.

A l'instar de toutes les autres statues royales, celle de Louis XIV fut abattue à la Révolution. Le Roi-Soleil a cédé la place à la colonne Vendôme: surmontée de la statue de Napoléon, elle commémore les victoires impériales. La spirale de bronze des bas-reliefs provient de la fonte des 1250 canons pris aux Autrichiens à la bataille d'Austerlitz.

Empruntez la rue de la Paix, flânez le long des vitrines de ses orfèvres et de ses fourreurs, et voici l'**Opéra-Garnier**. L'œuvre monumentale de Charles Garnier reflète la pompe et les gloires du Second Empire de Napoléon III.

L'Opéra-Garnier (en haut), et un détail du plafond, par Lenepveu (à droite).

Les travaux furent entrepris en 1862, à l'apogée de son règne, lorsque Paris se targuait d'être la capitale la plus grandiose d'Europe. L'Opéra ne fut achevé qu'en 1875, après la Commune. «Cela n'a aucun style; ce n'est ni grec ni romain,» se lamentait l'impératrice Eugénie. «C'est le style Napoléon III,» rétorqua l'architecte. Pour la construction, Garnier fit appel à toutes les techniques modernes du bâtiment, y compris la charpente métallique. Les Halles et la tour Eiffel font montre des mêmes procédés. Le style néobaroque se veut moins une joie pour les yeux que l'expression ampoulée d'une bourgeoisie triomphante. Le foyer et le grand escalier font encore plus grand genre que la salle elle-même, qui n'accueille que 2000 spectateurs. De nos jours, ils se tordent le cou pour mieux admirer le plafond peint par Chagall en 1964.

Le tournant du siècle marqua aussi le déclin des **Grands Boulevards**. Marchez sur les traces de Renoir, Manet et Pissaro, jusqu'au n° 35 du boulevard des Capucines, chez le photographe Nadar. C'est là que les artistes portèrent leurs toiles pour le premier salon de peinture impressionniste, en 1874. Aujourd'hui, les boulevards accueillent certains des cinémas les plus courus de la capitale; ce n'est d'ailleurs que justice, car c'est ici, à l'Hôtel Scribe, que les frères Lumière présentèrent le premier spectacle public de projections animées, en 1895.

Contre toute apparence, la **Madeleine** est bel est bien une église. Napoléon aurait souhaité en faire un temple de la Gloire, dédié à la Grande Armée, mais son architecte parvint à le détourner de ce projet au profit de l'arc de Triomphe. A la Restauration, Louis XVIII décida d'en faire une église, ce qui, après tout, était l'idée de départ de Louis XV. Consacré en 1842, l'énorme édifice gréco-romain demeure néanmoins dépourvu de transept, de clocher, de bas-côtés, et même de croix. Les Parisiens y sont surtout attachés pour la **vue** superbe, depuis le sommet des marches, sur la rue Royale, et plus loin, la place de la Concorde. Entrez dans l'église. Une atmosphère de profonde piété imprègne les lieux – atmosphère insolite dans un quartier voué corps et âme au matérialisme.

MONTMARTRE

Fidèles à la topographie du village qui se perchait ici il y a quatre siècles, les rues et impasses de Montmartre sont restées étroites et sinueuses. Ne vous y aventurez pas en voiture; prenez plutôt le Montmartrobus qui vous en fera faire un tour complet, ou alors, le métro jusqu'à la station Abbesses (ligne 12); ne descendez pas à Pigalle: malgré son côté tapageur la nuit, l'endroit, de jour, est à vous décourager de mettre les pieds à Montmartre.

Empruntez la rue Ravignan jusqu'au n° 13 de la place Emile Goudeau: ces insignifiantes verrières ne sont autres que le fameux **Bateau-Lavoir**. Si l'art moderne est né quelque part, c'est bien ici: Picasso, Braque et Juan Gris inventaient le cubisme, pendant que Modigliani y développait son style et qu'Apollinaire élaborait les bases de la poésie surréaliste. Retrouvez, à deux pas de là, leurs illustres prédécesseurs: Renoir, Van Gogh et Gauguin, en suivant la rue Cortot, la rue de l'Abreuvoir et la rue Saint-Rustique (où le restaurant *A la Bonne Franquette* servit de modèle à Van Gogh pour *La Guinguette*).

Place du Tertre, préparez-vous à passer du sublime au grotesque. La place est le cœur même du village: c'est là qu'on y annonçait les mariages et qu'on pendait les criminels. Elle n'a rien perdu de son animation, même si la faune, de nos jours, consiste surtout en «barbouilleurs» et hordes de touristes.

Poussez jusqu'à l'angle de la rue Saint-Vincent et de la rue des Saules, où pousse l'unique vigne de Paris, le Clos de Montmartre. Son vin a la réputation de vous faire «sauter comme un cabri».

A l'autre bout de la rue Saint-Vincent, on débouche derrière la **basilique du Sacré-Cœur**. Cette étrange église romano-byzantine jouit, à Paris, d'une réputation douteuse: les esthètes affectent de détester son extérieur surchargé; quant au bon peuple des alentours, il n'apprécie guère ce symbole de pénitence après l'insurrection de la Commune de 1871 et la défaite contre l'armée prussienne. Le Sacré-Cœur doit sa miraculeuse blancheur à cette variété de pierre de Château-Landon qui a la faculté de s'éclaircir au contact du gaz carbonique et de durcir en vieillissant.

L'église de **Saint-Pierre de Montmartre**, au pied de la

Le cimetière du Père Lachaise

Paris est si fier de ses morts illustres qu'il accorde une place toute spéciale à ses cimetières. Inauguré en 1804, le cimetière du Père Lachaise, cette célèbre cité des morts, a une population estimée à 1 350 000 âmes. Une promenade le long de ses allées de tombes rectilignes vous fera remonter le cours de l'histoire. Il est aussi possible d'effectuer une visite guidée dans un petit véhicule.

Le cimetière doit son nom à un jésuite, confesseur de Louis XIV et propriétaire des lieux. Depuis longtemps, c'est le cimetière des héros des révolutions successives. Le 28 mai 1871, il servit même de champ de bataille à l'ultime résistance des Communards; le «mur des Fédérés», dans son angle sud-est, marque l'emplacement où ils furent fusillés. En accordant aux juifs leur émancipation, Napoléon leur donna, de fait, leur section réservée dans le cimetière; et lorsque Napoléon III, dans le cadre de sa politique étrangère, rendit hommage à l'ambassadeur de Turquie, la confession musulmane y trouva également sa place. Parmi les divers présidents de la IIIe République, on y trouve Adolphe Thiers, qui repose à deux pas de radicaux qu'il détestait cordialement. Le Père Lachaise règle bien des différends!

Une petite liste vous est fournie à l'entrée; elle vous permet de repérer les tombes les plus célèbres. Parmi les derniers «arrivages», mentionnons Yves Montant, qui repose aux côtés de Simone Signoret. Le tombeau vedette est sans conteste celui de Jim Morrison, en bonne compagnie dans ce panthéon artistique. Parmi ses voisins, on remarque des écrivains, comme Colette et Alfred de Musset; le compositeur italien Rossini (lot 4), Chopin (11); le philosophe A. Comte (17); les peintres Ingres (23) Corot et Daumier (24); La Fontaine et Molière (25), Sarah Bernhard (44), Balzac (48), Delacroix (49), Bizet (68), Proust (85), Apollinaire (86), Isadora Duncan (87) et Oscar Wilde (89). Ce dernier repose dans un superbe tombeau, œuvre du sculpteur Jacob Epstein.

colline du Sacré-Cœur, est l'une des plus anciennes de Paris. Consacrée en 1147, 16 ans avant Saint-Germain-des-Prés (voir p.61), elle constitue un bel exemple de gothique précoce, démenti par sa façade du XVIIIe siècle. Paul Abadie, l'architecte du Sacré-Cœur, aurait voulu démolir Saint-Pierre; il en fut empêché par un groupe d'artistes, dont l'entêtement entraîna même la restauration de l'édifice, «digne riposte au Sacré-Cœur».

LE MARAIS

Le quartier du Marais, au nord des deux îles, a héroïquement résisté à l'assaut des promoteurs. Il nous offre un souvenir authentique du Paris d'Henri IV à la fin du XVIe siècle, jusqu'à l'aube de la Révolution. Comme son nom l'indique, il fut bâti sur un marais asséché, et recèle de superbes hôtels particuliers Renaissance, parmi les plus beaux d'Europe, aujourd'hui convertis en musées et bibliothèques. Le

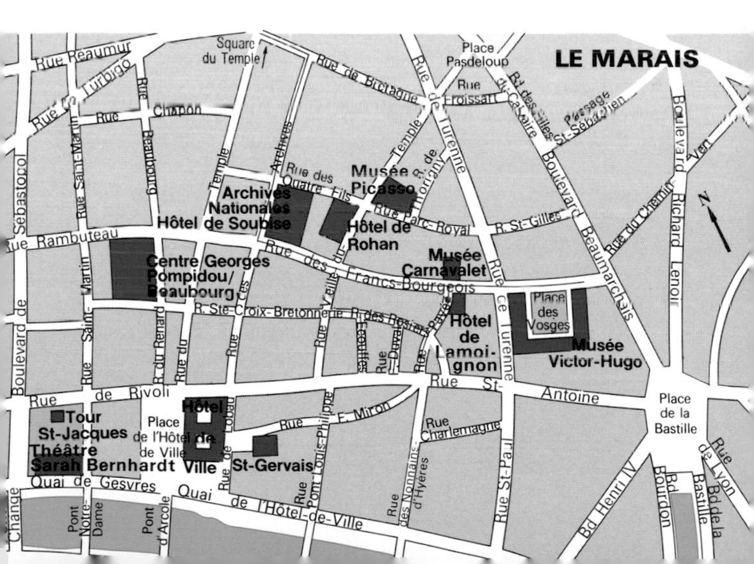

Marais est de nouveau à la mode, et chaque jour voit naître de nouvelles boutiques.

Prenez le métro jusqu'à la station Rambuteau; la visite commence au coin de la rue des Archives et de la rue des Francs-Bourgeois – les bourgeois qui y vivaient au XIVe siècle étaient exempts d'impôts. Au n° 60, l'**Hôtel de Soubise**, magnifique demeure du XVIIIe siècle, abrite les Archives nationales. Traversez la cour d'honneur en fer à cheval et vous voilà dans les appartements du prince et de la princesse de Soubise, d'un style délicieusement rococo. Le 1er étage abrite le **musée de l'Histoire de France**. Vous y trouverez de véritables trésors: l'unique portrait connu de Jeanne d'Arc, peint de son vivant, et le journal de Louis XVI. Le 14 juillet 1789, jour de la prise de la Bastille, le roi y consigna cette mention laconique: «Rien».

Un jardin (pas toujours ouvert au public) relie l'Hôtel de Soubise à son frère jumeau, l'**Hôtel de Rohan**, rue Vieille du Temple. Il sont dûs, l'un et l'autre, à l'architecte Pierre-Alexis Delamair. Ne manquez pas les splendides *Chevaux d'Apollon* de Pierre le Lorrain, qui surmontent les anciennes écuries, dans la deuxième cour. L'œuvre passe pour être la plus belle pièce de la statuaire du XVIIIe siècle français.

Deux autres demeures dignes d'intérêt, rue des Francs-Bourgeois, sont l'**Hôtel Lamoignon**, à l'angle de la rue Pavée, et l'**Hôtel Carnavalet**, demeure de l'illustre Madame de Sévigné; il renferme de nos jours le **Musée historique de la Ville de Paris** (fermé le lundi). Documents, gravures et peintures font revivre devant vous l'histoire de la capitale, et l'extraordinaire partie consacrée à la Révolution vaut à elle seule la visite. On y trouve en particulier une lettre de Robespierre, tachée du sang même de l'auteur: c'est alors qu'il la signait qu'il fut arrêté et blessé.

La place des Vosges est un modèle de grâce architecturale.

C'est à l'Hôtel Salé, tout proche, au n° 5 rue Thorigny, qu'est sis le **musée Picasso**. Le bâtiment, superbement restauré, a reçu en donation plus de 200 peintures et 158 sculptures, s'ajoutant à des centaine de dessins, gravures, céramiques, maquettes de décors et costumes de scène, provenant de la collection privée des héritiers du peintre. Le musée abrite aussi la collection personnelle du maître: des œuvres de ses collègues, Braque, Matisse, Miró, Degas, Renoir et Rousseau. Plus émouvants encore, y figurent des souvenirs personnels: lettres, albums de photos, billets d'entrée à des corridas, cartes postales...

La rue des Francs-Bourgeois joue sa plus belle carte avec la **place des Vosges**. Considérée par beaucoup comme la place résidentielle la plus élégante de Paris, elle a vu le jour en 1605, sous le règne d'Henri IV. La grande idée d'Henri (empruntée, d'ailleurs,

à Catherine de Médicis) était de faire de cet ancien marché aux chevaux, une grande place «dont les maisons auraient toutes une même symétrie». Le jardin est aujourd'hui le domaine des enfants; il était autrefois le rendez-vous favori des duellistes de la bonne société. Puis, après les festivités des noces du roi Louis XIII, il devint le lieu de promenade le plus élégant de la capitale. La Révolution en fit fondre la statue de Louis XIII, remplacée en 1818.

C'est l'hiver qui sied le mieux à la place des Vosges, lorsque les beaux marronniers dénudés dévoilent les façades rose ivoire des maisons aux toits bleutés. Avant la Révolution, la place s'appelait Royale; son nom actuel provient tout simplement du département qui, le premier, versa ses impôts au gouvernement révolutionnaire. La maison de Victor Hugo, au n° 6, est maintenant un musée passionnant qui rassemble maints manuscrits, souvenirs ainsi que d'excellents dessins du grand écrivain.

De jour comme de nuit, Saint-Michel bouge.

Nouvelles tendances

Vous pouvez compléter votre visite du Marais par une promenade dans le vieux quartier juif, ou «Shtetl». Des familles israélites ont habité la rue des Rosiers depuis 1230; et la rue Ferdinand Duval porta le nom de rue des Juifs jusqu'en 1900. La rue des Ecouffes («usurier», en argot médiéval) est l'autre rue importante du Shtetl. A elles deux, elles constituent un quartier commerçant très actif. Boutiques de *delicatessen* et autres *faláfels* s'y côtoient, dans un œcuménisme de bon aloi.

La **place de la Bastille** connaît une deuxième jeunesse. De l'ancienne prison, il ne reste rien, et c'est l'insurrection de 1830 que commémore en son centre la colonne de Juillet. Dans son aspect actuel, elle date en majeure partie du XIXe siècle; galeries d'art

«dans le vent» et studios d'artistes prolifèrent dans les rues adjacentes. Le quartier, longtemps crasseux et miteux, a vu sa grande place s'enrichir du nouvel **Opéra-Bastille**, ce qui l'a remis sur la sellette. Le nouvel opéra est très controversée, mais l'intérieur recèle une décoration plutôt sobre et une acoustique exceptionnelle. Faites-en la visite guidée, et essayez d'assister à une représentation (les prix sont abordables). Après le spectacle, allez flâner rue de Lappe et dans les autres rues du quartier, toutes grouillantes de vie.

La rive gauche

Contrairement à une idée trop répandue, le Quartier latin ne constitue pas à lui tout seul l'ensemble de la rive gauche, même s'il concentre l'essentiel de la jeunesse intellectuelle. Cela dit, commencez votre visite par ce fameux quartier étudiant, ne serait-ce que pour vous faire une idée de l'endroit. Vous y trouverez absolument tout, du plus «ringard» au plus chic. Quant au snobisme intellectuel, il est en fait plus perceptible dans la partie gauche de la rive gauche que dans le Quartier latin proprement dit.

LE QUARTIER LATIN

Tout commence une fois passé le pont en face de Notre-Dame. Ici, par tradition, on se nourrit de savoir; cela tourne parfois en contestation, voire en révolte, avant de virer au scepticisme permanent, lorsque, diplôme en poche, les rebelles émigrent de l'université aux quartiers embourgeoisés du faubourg Saint-Germain. Dès le XIIIe siècle, après que la «première université» eut déménagé des cloîtres de Notre-Dame à la rive gauche, la jeunesse se retrouva dans le «quartier», à l'origine pour étudier le latin.

En ce temps-là, le terme «université» définissait simplement un rassemblement «d'escholiers» à un coin de rue, sur une place ou dans une cour,

La vie de bohème

Si certains quartiers sont célèbres pour leurs palais et leurs églises, Montparnasse, lui, doit sa gloire à ses cafés et ses bars «phares». *La Closerie des Lilas*, abreuvoir préféré des poètes symbolistes français à la fin du siècle dernier, devint le lieu de rendez-vous de Trotski et de Lénine avant la Première Guerre mondiale, et plus tard, d'Hemingway et ses amis. *Le Select*, ouvert à Montparnasse en 1925, fut le tout premier bar à ne pas fermer ses portes de la nuit; il devint sans tarder le repaire d'Henri Miller. *La Coupole*, chère à Sartre et Simone de Beauvoir, a toujours la cote. Les grands travaux de rénovation des années 80 n'ont fait que raviver sa popularité. Plus qu'un restaurant, c'est un théâtre vivant. Pour changer de décor, allez prendre le petit déjeuner au *Dôme*. *La Rotonde*, fréquentée par Picasso, André Derain, Maurice Vlaminck, Modigliani et Max Jacob, est toujours un restaurant apprécié, à deux pas du cinéma du même nom. D'une manière ou d'une autre, tous ces bars ont survécu le long de ce boulevard animé et en mutation constante.

pour écouter un cours donné d'un banc ou d'un balcon. De nos jours, les amphis sont bondés, mais la tradition de la discussion en plein air se perpétue, bien souvent autour d'un café ou d'une eau minérale, à une terrasse du boulevard Saint-Michel ou dans les rues avoisinantes.

Commencez par la **place Saint-Michel**, où les étudiants viennent toujours s'approvisionner en fournitures et livres scolaires; c'est aussi le lieu de rendez-vous de jeunes du monde entier, venus respirer l'air magique du Quartier latin. Tout le monde s'agglutine autour de la prétentieuse fontaine construite par Davioud dans les années 1860. Engouffrez-vous dans les ruelles du **quartier Saint-Séverin**, à l'est: rue Saint-Séverin, rue de la Harpe et rue Galande. Vous y découvrirez tout un univers médiéval, revu et corrigé par l'exotisme éclectique des confiseries tunisiennes, des grillades grecques et des petits cinémas bondés. Dans cette ambiance levantine s'élève l'église de **Saint-Julien-le-Pauvre**, l'une des plus modestes, mais aussi des plus vieilles de Paris. Elle ne détone guère, avec ses fumées d'encens aux messes du dimanche, célébrées en grec ou en arabe. En effet, elle n'est pas de rite catholique, mais melchite. Recueillez-vous un moment dans **Saint-Séverin**, cette charmante église de style gothique flamboyant, des XIIIe et XVe siècles. Apprêtez-vous maintenant à vous attaquer à la citadelle du Quartier latin, la **Sorbonne**.

La Sorbonne fut fondée en 1253 par Robert de Sorbon, chapelain de Louis IX. Créée à l'origine pour accueillir des étudiants en théologie dans le besoin, elle fut prise en main par le cardinal de Richelieu, qui en finança la reconstruction (1624–42). Visitez le grand amphithéâtre (2700 places), décoré des bustes de Sorbon, Richelieu, Descartes, Pascal, et Lavoisier. Admirez aussi l'immense fresque de Puvis de Chavannes, *Le Bois sacré*, sur le mur du fond. C'est une vision allégorique mêlant la poésie, l'histoire, la géologie et la physiologie... En mai 1968, l'amphithéâtre fut investi par 4000 étudiants survoltés, menaçant de recouvrir de plâtre la fresque. La révolte estudiantine contre l'enseignement désuet, les locaux surpeuplés, la bureaucratie pesante et, au bout du compte, les bases mêmes de la société, fit de la Sorbonne le quartier général de la contestation.

Presque en face de la Sorbonne (entrée rue des Ecoles), vous trouvez le **musée de Cluny** (au n° 6 de la place Painlevé). C'est le lieu idéal pour découvrir le Paris des origines. Visitez, dans l'enceinte du musée, les vestiges des bains romains, les thermes de Cluny, datant de 200 à 300 ans apr. J.-C. Encore plus anciens: les vestiges découverts près de Notre-Dame d'un monument à la gloire de Jupiter, probablement du premier siècle apr. J.-C. La belle chapelle de style gothique flamboyant abrite une superbe tapisserie de Saint-Etienne. Mais c'est ***La Dame à la licorne***, pure merveille de la tapisserie française du XVIe siècle, qui l'emporte en splendeur.

En montant la rue Saint-Jacques, passez le plus célèbre établissement secondaire de Paris, le lycée Louis-le-Grand, et arrivez au **Panthéon**, ce monument gigantesque de style néoclassique. Là reposent les plus grands noms de l'histoire littéraire, militaire et politique de la Nation. Ses origines remontent à 1755, lorsque Louis XV érigea une église en l'honneur de sainte Geneviève. L'église fut sécularisée à la Révolution, pour

devenir par la suite un vaste mausolée. Sur le fronton, on peut y lire gravés ces mots: «Aux grand hommes, la Patrie reconnaissante». Napoléon mit fin à la controverse en rendant l'édifice à l'Eglise. Tout au long du XIXe siècle, le Panthéon fit la navette entre le régulier et le séculier, suivant la couleur politique des régimes successifs. Finalement, ce furent les funérailles de Victor Hugo, en 1885, qui réglèrent le problème une fois pour toutes, en le consacrant dans son rôle de mausolée séculier.

Le temps d'une pause

Après tant de majesté et de puissance, allez vous reposer au **Jardin du Luxembourg**. Si l'envie vous prend de faire un pique-nique, la **rue Mouffetard** est tout indiquée pour faire vos provisions; la rue entière est un marché bruissant

Après une vie mouvementée, le Panthéon s'est «rangé» pour devenir un mausolée.

de vie. A deux pas de la minuscule place de la Contrescarpe, lieu de prédilection de Rabelais, vous trouverez de quoi remplir votre cabas de délices gourmands. En dépit de ses origines, qui remontent au XVIIe siècle, le Jardin du Luxembourg a échappé à la rigueur classique des Tuileries et de Versailles.

En redescendant vers la Seine, vers l'est, vous passerez le vaste complexe universitaire de Jussieu, édifié sur l'ancien site de la halle aux Vins. Pour construire au no 23 du quai Saint-Bernard **l'Institut du Monde arabe**, la France s'assura le concours de 16 nations arabes. Malgré un parti pris de modernisme, sa façade de verre et d'aluminium rend hommage à l'architecture islamique traditionnelle. Il renferme un musée et une bibliothèque de plus de 10 000 volumes et périodiques traitant de la culture arabe. L'Institut est ouvert tous les après-midi et fermé le lundi.

Changeons de décor et aventurons-nous au **Jardin des Plantes**, tout proche. C'est

Louis XIII qui décida de créer ce «Jardin des plantes médicinales», plus tard baptisé «Jardin royal». Après avoir examiné la ménagerie et les plantes exotiques des serres, ne manquez pas le **musée d'Histoire naturelle**. Même si vous n'avez pas la bosse scientifique, vous serez séduit par ses collections riches et variées: de nombreux squelettes côtoient des collections de papillons et de minéraux, que l'on s'est enfin décidé à mettre en valeur.

Un centre de perception des impôts n'est jamais bien populaire; cependant, de l'autre côté de la Seine, le nouveau **ministère des Finances** ne manque pas d'offrir un surprenant spectacle, un pied dans l'eau et le reste enjambant la route. Il fournit en tout cas double matière à controverse.

MONTPARNASSE

C'est là que le French-cancan explose sur la scène en 1845, au bal de la Grande Chaumière. Dans les années 20, Montparnasse supplante Montmartre comme repaire de la colonie d'artistes de Paris – ou tout au moins de son avant-garde, lorsque Picasso y élit domicile. Nombre d'expatriés américains, tels Hemingway, Gertrude Stein, F. Scott Fitzgerald et John Dos Passos, prennent goût à la vie de bohème du quartier et contribuent activement à faire de l'endroit un véritable mythe. De nos jours, touristes américains et français repèrent les lieux où la «génération perdue» se retrouva une âme.

SAINT-GERMAIN-DES-PRÉS

Saint-Germain-des-Prés ne fait pas partie du Quartier latin à proprement parler; en fait, il en est plutôt le prolongement. C'est le quartier littéraire par excellence, où voisinent maisons d'édition, cafés «intello» et librairies éclectiques, et où siège l'Académie française. C'est aussi un endroit agréable, où il fait bon observer le manège de la rue et des passants. Jean-Paul Sartre et ses acolytes existentialistes en avaient fait leur fief.

De nos jours, les discothèques ont remplacé les caves et l'existentialisme a fait son temps. Mais l'atmosphère détendue des terrasses des cafés est toujours la même sur la place Saint-Germain-des-Prés. Côté nord, c'est le café Bonaparte, et côté ouest le célèbre café des Deux-Magots. Vous pouvez vous y asseoir et regarder mimes, musiciens et autres cracheurs de feu, qui se produisent dans la rue. Un peu plus haut, le café de Flore a, mieux que ses voisins, préservé sa tradition intellectuelle, peut-être en raison de son histoire mouvementée. En effet, les idéologies s'y bousculent; et il abrita successivement: en 1899 le mouvement d'extrême droite de Charles Maurras, Action française; en 1914 le groupe surréaliste d'Apollinaire et d'André Salmon (ils adoraient provoquer des rixes); puis, enfin, Sartre et les existentialistes.

Mais le quartier Saint-Germain possède aussi des monuments plus respectables. L'**église de Saint-Germain-des-Prés**, mélange de styles roman et gothique, restaurée au siècle dernier, possède une tour d'horloge qui remonte au XIe siècle; un porche du XVIIe dissimule un portail du XIIe.

Au nord de la place, la rue Bonaparte mène à la prestigieuse **école des Beaux-Arts**. Ce bâtiment d'aspect curieux, légèrement pompeux, rassemble des éléments d'architecture et de sculpture médiévale et Renaissance. Plus récemment, en mai 68, un atelier s'y établit, dirigé par les étudiants qui y imprimaient leurs propres affiches.

Près du pont des Arts, quai Conti, s'élève l'auguste **palais de l'Institut de France**, siège de l'Académie française. Conçu par Louis le Vau en 1668 pour faire pendant au Louvre sur la rive droite, l'Institut fut d'abord une école pour fils de gentilshommes de province, financée par un legs du cardinal Mazarin. En 1805, le bâtiment fut attribué à l'Institut, composé de l'Académie française, des Académies des Belles Lettres, des Sciences, des Beaux-Arts et des Sciences Morales et Politiques. Fondée par Richelieu en 1635, l'Académie française est l'arbitre suprême de la langue française.

Ces petits hommes verts

Si la propreté est l'antichambre de la sainteté, Paris est sans conteste à deux doigts de la divinité. Son maire, Jacques Chirac, s'est assigné le but de faire de la capitale une ville propre. Il a même décidé de mettre les chiens au pied en les obligeant à abandonner les trottoirs en faveur du caniveau ou des «toilettes canines». Une centaine de motos spécialement équipées ont été mises en service: leur propos est de nettoyer 1600km de trottoirs, divisés en quelques 72 secteurs. Une trentaine d'inspecteurs spécialisés arpentent la capitale, prêts à faire payer une coquette amende de 600 francs à tout propriétaire coupable de laisser son animal souiller le trottoir.

Chirac a également introduit une armée verte; elle patrouille rues et trottoirs dans des véhicules futuristes… verts. 6500 employés municipaux mènent une guerre permanente contre la saleté, avec un taux de réussite que bien des grandes villes leur envient. Tous les jours, à l'aube, 525 énormes camions-bennes partent à l'affût des ordures ménagères. D'étranges machines vertes passent derrière pour aspirer tout ce qui pourrait traîner, et les rues sont régulièrement arrosées au jet. On évalue à 16 000 le nombre de poubelles et autres réceptacles disséminés dans la capitale; on en trouve tous les 150m.

Les guides de l'Institut ne manquent pas de signaler que le pavillon est bâti sur l'emplacement de la fameuse tour de Nesle. Jeanne de Bourgogne s'y postait pour repérer ses jeunes amants d'une nuit; on en retrouvait, dit-on, les cadavres dans la Seine au matin.

La puissance et la grâce

Le **Palais-Bourbon**, siège de l'Assemblée nationale, donne le ton au quartier du faubourg Saint-Germain (VIIe arrondissement), le plus élégant de la rive gauche: s'y côtoient ambassades, ministères et hôtels particuliers dans le style du XVIIIe siècle. La colonnade de style grec, ajoutée par Napoléon au niveau du pont de la Concorde, dépare quelque peu l'ensemble, qu'il vaut mieux découvrir depuis sa façade sud. Le palais fut construit en 1722, en l'honneur de la fille de Louis XIV et de Madame de Montespan. Vous ne pourrez le visiter que sur demande écrite, ou accompagné d'un député de vos relations. Si vous parvenez à y entrer, ne manquez pas dans la bibliothèque les peintures de Delacroix, représentant l'histoire de la Civilisation.

Si vous attachez plus d'importance au cadre de vie qu'au pouvoir suprême, pas de doute possible, il vaut mieux être Premier ministre à Matignon que président de la République à l'Elysée. Le 57, rue de Varenne, à deux pas de l'Assemblée nationale, est la superbe résidence du Premier ministre. Elle dispose dans son immense parc d'un pavillon de musique. parfait pour des entrevues secrètes.

Dans la même rue tranquille, au numéro 77, l'Hôtel Biron, petit bijou du XVIIIe siècle, abrite le **musée Rodin**.

Rodin, le poète Rainer Maria Rilke et la danseuse Isadora Duncan vécurent tour à tour dans cet hôtel. Le musée présente aussi des sculptures de la main de Camille Claudel, compagne de Rodin, ainsi que des œuvres de Renoir, Monet et Van Gogh, contemporains du maître. Le jardin recèle le magnifique *Penseur*, qui ne manquera pas de vous émouvoir.

LE FIN DU CHIC

(Invalides – Tour Eiffel)
Quittant l'intimité de Matignon, revenons au monumental avec l'**Hôtel des Invalides**. Avant de fixer son choix sur Versailles, Louis XIV demanda à l'architecte Libéral Bruant d'établir les plans de l'hôtel. (Les travaux furent plus tard confiés à Hardouin-Mansart.) Reprenant pour son compte une idée d'Henri IV, Louis décida de faire des Invalides le premier hospice destiné aux soldats blessés au service du roi. Napoléon y ajouta le musée de l'Armée. Quelques années plus tard, les Invalides devinrent un monument à la gloire de l'empereur, lorsque son corps fut ramené de Sainte-Hélène pour reposer dans la chapelle de l'Hôtel.

Le tombeau richement orné est placé directement au dessous de la coupole dorée. Le corps de l'empereur, revêtu de l'uniforme vert des Chasseurs de la Garde, repose dans six cercueils gigognes. Le monument de porphyre rose de Finlande trône sur un piédestal de granit vert des Vosges.

l'**église Saint-Louis des Invalides** est décorée des drapeaux pris à l'ennemi depuis Waterloo. L'entrée des Invalides est flanquée de deux chars allemands Panther capturés dans les Vosges par la division Leclerc. Dans la cour d'honneur sont exposé les 18 canons de la Batterie triomphale, dont huit pièces furent ramenées de Vienne. La Batterie tirait sur ordre de l'empereur pour marquer les grandes occasions comme la naissance de l'Aiglon, en 1811. Les mêmes canons tonnèrent également lors de l'Armistice de 1918 et des funérailles du maréchal Foch, en 1929.

L'armée persiste et signe avec l'Ecole militaire et le Champ-de-Mars, vaste esplanade voué à l'exercice et à la parade des officiers depuis le milieu du XVIIIe siècle. Des courses de chevaux s'y disputèrent dans les années 1780, et entre 1867 et 1937, non moins de cinq Expositions internationales s'y tinrent. Au XXe siècle, les résidences prestigieuses de la rive gauche en ont fait leur jardin.

Guide des hôtels et restaurants parisiens

Hôtels recommandés

On trouve à Paris toute la gamme de l'hôtellerie: de la plus chère à la plus abordable. Nous avons divisé la liste qui suit en deux sections: Paris-centre (du 1er au 8e arrondissement) et le grand Paris (du 9e au 20e). Dans chacune de ces sections, les hôtels sont classés par ordre alphabétique; nous avons marqué chaque établissement d'un symbole indiquant sa catégorie de prix, par nuit, pour une chambre double avec bain, petit déjeuner non compris. L'Office de Tourisme de Paris – tél. (1) 47.23.61.72; fax (1) 47.23.56.91 – peut vous fournir, sur simple demande, une liste complète des hôtels.

La formule Café-Couette vous permet de loger chez l'habitant pour un prix intéressant (chambre double avec bain: 354 F, petit déjeuner compris): Café-Couette, 8 Rue d'Isly, 75008 Paris; tél. (1) 42.94.92.00, fax (1) 42.94.93.12

Nous avons sélectionné les hôtels en fonction de leur prix et de leur emplacement, et nous les avons divisés en trois catégories: luxe (1750 F et plus), moyen (entre 800 F et 1750 F), économique (moins de 700 F). Une fois sur place, vous pourrez remarquer des variations importantes: par exemple des chambres tout à fait convenables à 350 F ainsi que des chambres à plus de 3000 F ou 4000 F. Les deux derniers chiffres du code postal de chaque adresse vous indiquent l'arrondissement.

▮▮▮	plus de 1750 F
▮▮	800 F–1750 F
▮	moins de 700 F

PARIS-CENTRE

Abbaye Saint-Germain ▮▮

10, rue cassette, 75006
Tél. (1) 45.44.38.11
Fax (1) 45.48.07.86

44 chambres, 4 duplex. Cette ancienne abbaye du XVIIe siècle est située entre le jardin du Luxembourg et Saint-Germain-des-Prés. Service aimable et attentif.

Angleterre ▮▮
44, rue Jacob, 75006
Tél. (1) 42.60.34.72
Fax (1) 42.60.16.93
29 chambres. Un escalier historique mène à de très belles chambres. Patio en été. Ernest Hemingway compte parmi les résidents les plus célèbres.

Bristol ▮▮▮
112, rue du Faubourg Saint-Honoré, 75008
Tél. (1) 42.66.91.45
Fax (1) 42.66.68.68
152 chambres, 45 appartements. Le Bristol est un véritable palace, tout de salons de marbre et de mobilier ancien. Autres atouts: un jardin, et une piscine sur le toit.

Cayré ▮▮
4, bvd. Raspail, 75007
Tél. (1) 45.44.38.88
Fax (1) 45.44.98.13
130 chambres, très vastes. L'hôtel est la coqueluche des artistes et des gens de lettres.

Claridge Bellman ▮▮
37, rue François-Ier, 75008
Tél. (1) 47.23.54.42
Fax (1) 47.23.08.84
42 chambres. Situé dans le secteur chic compris entre la Seine et les Champs-Elysées, le Claridge Bellman côtoie les plus grands noms de la haute couture.

Concorde-St-Lazare ▮▮▮
108, rue Saint-Lazare, 75008
Tél. (1) 40.08.44.44
Fax (1) 42.93.01.20
314 chambres. Un grand hôtel: le bâtiment est classé. A deux pas de l'Opéra-Garnier, des grands magasins et de la gare Saint-Lazare. Restaurant *Terminus*

Crillon ▮▮▮
10, place de la Concorde, 75008
Tél. (1) 42.65.24.24
Fax (1) 47.42.72.10
117 chambres, 47 appartements. Mondialement connu. Situé sur la place de la Concorde (la terrasse domine la place). Service d'une qualité remarquable. Deux restaurants de renom: *Les Ambassadeurs* et *L'Obélisque*.

Des Deux-Iles ▮
59, rue Saint-Louis en l'Ile, 75004 *Tél. (1) 43.26.13.35*
Fax (1) 43.29.60.25
17 chambres. Situé dans une petite résidence de charme de l'île Saint-Louis, cet hôtel est à la fois confortable et chaleureux. Pas de restaurant.

Duc de Saint-Simon ▮▮
14, rue de Saint-Simon, 75007
Tél. (1) 45.48.35.66
Fax (1) 45.48.68.25
29 chambres. En plein cœur du faubourg Saint-Germain. Le *Duc*

de Saint-Simon réside dans un bel hôtel particulier du XIXe siècle, qui semble droit tiré d'un roman de Balzac. Jardin privé.

Duminy-Vendôme ▮▮

3, rue du Mont-Thabor, 75001
Tél. (1) 42.60.32.80
Fax (1) 42.96.07.83
79 chambres. A deux pas du Jardin des Tuileries. Têtes de lit en cuivre, papier peint fleuri et salles de bains en marbre, dans une atmosphère détendue. Tous conforts modernes.

Edouard-VII ▮▮

39, avenue de l'Opéra, 75002
Tél. (1) 42.61.56.90
Fax (1) 42.61.47.73
76 chambres, 4 appartements. L'Edouard-VII est à deux pas de l'Opéra-Garnier. Chambres claires et spacieuses. Restaurant *Delmonico* (fermé en août).

Elysées-Maubourg ▮▮

35, bvd. de la Tour-Maubourg, 75007
Tél. (1) 45.56.10.78
Fax (1) 47.05.65.08
30 chambres, 2 suites. Atmosphère intime, service attentif, décor soigné et chambres confortables. Les jours de beau soleil, la minuscule cour intérieure est ouverte aux résident: l'endroit rêvé où prendre le thé.

Esméralda ▮

4, rue Saint-Julien-le-Pauvre, 75005
Tél. (1) 43.54.19.20
Fax (1) 40.51.00.68
19 chambres. Portant le nom du grand amour de Quasimodo, et situé, comme il se doit, en face de Notre-Dame, cet hôtel du XVIIe siècle est à la fois central, bon marché et plein de charme.

France et Choiseul ▮▮

239, rue Saint-Honoré, 75001
Tél. (1) 42.61.54.60
Fax (1) 40.20.96.32
120 chambres. Situation centrale. Idéal pour le shopping chic.

George-V ▮▮▮

31, avenue George-V, 75008
Tél. (1) 47.23.54.00
Fax (1) 47.20.40.00
293 chambres, 58 appartements. Ce superbe hôtel, à deux pas des Champs-Elysées, jouit d'une réputation mondiale. Dîner sur la terrasse. Vues splendides depuis les étages supérieurs. Restaurant *Les Princes*.

Henri IV ▮

25, place Dauphine, 75001
Tél. (1) 43.54.44.53
Petit hôtel modeste sur l'île de la Cité. Pas des plus modernes, mais à proximité de Notre-Dame et de Saint-Michel.

L'Hôtel ▮▮▮
13, rue des Beaux-Arts, 75006
Tél. (1) 43.25.27.22
Fax (1) 43.25.64.81
27 chambres, chacune avec son propre décor. Oscar Wilde rendit l'âme, «au dessus de ses moyens», dans l'une d'elles . Au cœur de Saint-Germain-des-Prés.

Inter-Continental ▮▮▮
3, rue de Castiglione, 75001
Tél. (1) 44.77.11.11
Fax (1) 44.77.14.60
452 chambres, 27 appartements. Conforts modernes dans un bâtiment historique conçu par Charles Garnier, architecte de l'Opéra. Café *Tuileries*.

Jeu de Paume ▮▮
54, rue Saint-Louis-en-l'Ile, 75004
Tél. (1) 43.26.14.18
Fax (1) 43.26.14.18
32 chambres, 8 duplex. Superbe situation, en plein centre de Paris. L'hôtel a conservé son ancien «jeu de paume» (XVIIe siècle), ancêtre du tennis. Idéal pour se plonger dans l'atmosphère du «vieux Paris».

Lancaster ▮▮▮
7, rue de Berri, 75008
Tél. (1) 43.59.90.43
Fax (1) 42.89.22.71
66 chambres, 9 appartements. Le *Lancaster* est un vieil hôtel particulier, plein de charme. Décor soigné. Repas *al fresco*.

Lord Byron ▮
5, rue Chateaubriand, 75008
Tél. (1) 43.59.89.98
Fax (1) 42.89.46.04
31 chambres. Proche de l'Etoile. Décor grand style et élégante cour intérieure.

Lotti ▮▮▮
7, rue de Castiglione, 75001
Tél. (1) 42.60.37.34
Fax (1) 40.15.93.56
129 chambres. Sous les arcades de la rue de Castiglione, à deux pas du Jardin des Tuileries. Les gens d'affaires de la place Vendôme apprécient son bar et restaurant. Elégant décor «fin de siècle».

Lutèce ▮▮
65, rue Saint-Louis-en-l'Ile,
75004 Tél. (1) 43.26.23.52
Fax (1) 43.29.60.25
23 chambres. Charmant petit hôtel sur l'île Saint-Louis. Les chambres du 6e étage sont de loin les plus romantiques. Pas de restaurant.

Lutétia ▮▮▮
45 bvd. Raspail, 75006
Tél. (1) 49.54.46.46
Fax (1) 49.54.46.00
258 chambres, 27 appartements. Un des rares hôtels traditionnels

de la rive gauche. Non loin de Saint-Germain-des-Prés. Elégant décor, dans le style art-déco. Atmosphère sympathique. Restaurant *Le Paris* et la *Brasserie Lutétia*. Piano-bar.

Mayfair ▮▮

3, rue Rouget-de-Lisle, 75001
Tél. (1) 42.60.38.14
Fax (1) 40.15.04.78
53 chambres. Très confortable. Pas de restaurant.

Plaza Athénée ▮▮▮

25, avenue Montaigne, 75008
Tél. (1) 47.23.78.33
Fax (1) 47.20.20.70
215 chambres, 41 appartements. Le fin du fin du chic – d'où le prix. C'est aussi l'un des plus beaux palaces du monde. Restaurants *Régence* et *Relais Plaza.*

Pont-Royal ▮▮

7, rue de Montalembert, 75007
Tél. (1) 45.44.38.27
Fax (1) 45.44.92.07
75 chambres. Excellent service, très discret. Le bar est le repaire des gens d'affaires et du monde de l'édition. Restaurant *Les Antiquaires*

Prince de Galles ▮▮▮

33, avenue George-V, 75008
Tél. (1) 47.23.55.11
Fax (1) 47.20.96.92
293 chambres, 58 appartements. Repas *al fresco*. Brunch seulement, le dimanche.

Relais Christine ▮▮

3, rue Christine, 75006
Tél. (1) 43.26.71.80
Fax (1) 43.26.89.38
38 chambres, 17 duplex. Superbe décoration intérieure. Jolis jardin et cour. Situation tranquille.

Résidence Maxim's de Paris ▮▮▮

42, avenue Gabriel, 75008
Tél. (1) 45.61.96.33
Fax (1) 42.89.06.07
14 chambres, 37 suites. Le luxe dans un décor signé Pierre Cardin.

Ritz ▮▮▮

15, place Vendôme, 75001
Tél. (1) 42.60.38.30
Fax (1) 42.60.23.71
142 chambres, 54 appartements. Une légende. Repas *al fresco* sur la terrasse. Nightclub-discothèque. Piscine, court de squash. Restaurant *Ritz-Espadon*.

Royal Monceau ▮▮▮

37, avenue Hoche, 75008
Tél. (1) 45.61.98.00
Fax (1) 45.63.28.93
180 chambres, 39 appartements. Piscine et salle de gymnastique. Repas *al fresco*. Restaurants *Le Carpaccio* et *Le Jardin*.

Saint-André-des-Arts ▮
66, rue Saint-André-des-Arts, 75006
Tél. (1) 43.26.96.16
Fax (1) 43.29.73.34.
36 chambres. Un hôtel vivant, bon marché, et situé en plein centre-ville. Pas de cartes de crédit.

Saint Pères ▮▮
65, rue des Saints-Pères, 75006
Tél. (1) 45.44.50.00
Fax (1) 45.44.90.83
37 chambres. Tranquille et confortable. Chambres modernes et fonctionnelles. Patronné par le monde de l'édition qui aime prendre le petit déjeuner dans la cour.

LE GRAND PARIS

Baltimore ▮▮
88 bis, av. de Kléber, 75016
Tél. (1) 44.34.54.54
Fax (1) 45.34.54.44
118 chambres. Un hôtel vaste et moderne, avec tous les conforts habituels. Situation centrale, à quelques pas de l'Etoile. Restaurant *L'Estournel.*

Concorde La Fayette ▮▮▮
3, place du Gén.-Koenig, 75017
Tél. (1) 40.68.50.68
Fax (1) 40.68.50.43
935 chambres, 44 appartements. Restaurants *L'Etoile d'Or*, *L'Arc-en-Ciel*. Café *Les Saisons*. Bar panoramique au 34e étage.

Le Grand Hôtel Inter-Continental ▮▮▮
2, rue Scribe, 75009
Tél. (1) 40.07.32.32
Fax (1) 42.66.12.51
470 chambres, 23 appartements. Un «grand» hôtel, décoré avec goût. Service attentif. L'*Opéra-Café de la Paix* et le *Relais Capucines-Café de la Paix*. A côté de l'Opéra.

Hilton ▮▮▮
18, avenue Suffren, 75015
Tél. (1) 42.73.92.00
Fax (1) 47.83.62.66
455 ch., 36 appartements. Restaurants *La Terrasse* et *Le Western.*

Le Laumière ▮
4, rue Petit, 75019
Tél. (1) 42.06.10.77
Fax (1) 42.06.72.50
54 chambres. Excellent rapport qualité-prix. Chambres modernes et confortables. En dehors des sentiers battus, mais très populaire.

Magellan ▮
17, rue J.-B. Dumas, 75017
Tél. (1) 45.72.44.51
Fax (1) 40.68.90.36
75 chambres. Hôtel confortable et tranquille. Jardin. Bien placé pour La Défense.

Méridien ▮▮▮

81, bvd. Gouvion-St-Cyr, 75017
Tél. (1) 40.68.34.34
Fax (1) 40.68.31.31
989 chambres, 17 appartements. Près du Centre des Congrès, et donc très prisés des gens d'affaires. Restaurants *Le Clos Longchamp, Le Café l'Arlequin*, *Le Yamato* (japonais) et *La Maison Beaujolaise*.

Nikko ▮▮▮

61, quai de Grenelle, 75015
Tél. (1) 40.58.20.00
Fax (1) 45.75.42.35
779 chambres, 7 appartements. Vue sur le pont Mirabeau. Piscine couverte. Restaurant *Les Célébrités*, Brasserie *Pont Mirabeau* et *Le Benkay* (restaurant japonais).

Regent's Garden ▮▮

6, rue P.-Demours, 75017
Tél. (1) 45.74.07.30
Fax (1) 40.55.01.42
40 chambres. Situation tranquille. joli jardin.

Résidence du Bois ▮▮▮

16, rue Chalgrin 75016
Tél. (1) 45.00.50.59
Fax (1) 45.00.95.41
16 chambres. Situé dans une très belle villa, vieille de 300 ans, à deux pas de l'arc de Triomphe. Situation tranquille. Décoration intérieure soignée. Jardin.

Sofitel Paris Porte de Sèvres ▮▮▮

8–12, rue L.-Armand, 75015
Tél. (1) 40.60.30.30
Fax (1) 45.57.04.22
601 chambres, 14 appartements. Piscine couverte panoramique. Restaurant *Le Relais de Sèvres* et brasserie *La Tonnelle*. Très prisée des gens d'affaires.

Terrass' Hotel ▮▮

12, rue J.-de-Maistre, 75018
Tél. (1) 46.06.72.85
Fax (1) 42.52.29.11
88 chambres. Restaurants *Le Guerlande* et *L'Albaron*.

Aéroports

Hilton Orly ▮▮

94544 Val-de-Marne
Tél. (1) 46.87.33.88
Fax (1) 49.78.06.75
Près de l'aéroport et de la gare. Vue. Restaurants *Le Café du Marché* et *La Louisiane*. Navette aéroport gratuite.

Holiday Inn ▮

1, allée du Verger, 95700 Roissy-en-France.
Tél. (1) 34.29.30.00
Fax (1) 34.29.30.00
240 chambres. Tous conforts modernes. Pas de surprises avec cette chaîne d'hôtels bien connue. Navette aéroport gratuite.

Restaurants recommandés

Nous avons également divisé les restaurants en deux grandes sections: Paris-centre (du 1er au 8e arrondissements) et le grand Paris (du 9e au 20e). Dans chacune de ces sections, les restaurants sont donnés par ordre alphabétique. Nous avons marqué chacun d'entre eux d'un symbole indiquant la catégorie de prix pour un repas complet avec un vin correct: luxe (au dessus de 600 F), intermédiaire (de 400 F à 600 F), abordable (au-dessous de 400 F). Ceci n'exclut en aucune façon une multitude de restaurants offrant un excellent menu autour de 150-200 F, parfois moins pour le menu à prix fixe. Notre liste ne prétend pas être exhaustive, mais y figurent des établissements réputés pour la qualité de leur cuisine.

De nombreux restaurants ferment leurs portes au mois d'août, et il est toujours recommandé de réserver à l'avance.

- ▮▮▮ plus de 600 F
- ▮▮ 400–600 F
- ▮ moins de 400 F

PARIS-CENTRE

Les Ambassadeurs ▮▮▮
10, place de la Concorde, 75008
Tél. (1) 42.65.24.24
Cadre du XVIIIe siècle. Ouvert tous les jours de l'année. Repas *al fresco*. Cuisine moderne, sans excès.

Ambroisie ▮▮▮
9, place des Vosges, 75004
Tél. (1) 42.78.51.45
Fermé dimanche et lundi. Cette maison aristocratique, dans le cadre grandiose de la place des Vosges, propose une cuisine raffinée et moderne, à base de recettes traditionnelles.

Benoît ▮▮
20, rue Saint-Martin, 75004
Tél. (1) 42.72.25.76
Réserver un jour à l'avance pour ce restaurant populaire. Cuisine bourgeoise des plus traditionnelles dans un vrai bistrot qui a peu changé depuis son ouverture en 1912. Il est même géré par un descendant du fondateur.

Gérard Besson

5, rue du Coq-Héron, 75001
Tél. (1) 42.33.14.74
Réputé pour ses poissons (en provenance directe des côtes d'Armor) et ses volailles.

Bistrot de Paris

33, rue de Lille, 75007
Tél. (1) 42.61.16.83
Bistrot, style 1900, avec un joli salon-billard au 1er étage. Le propriétaire, Michel Olivier, chef bien connu, ne dément pas sa réputation. Fermé samedi midi et dimanche.

Le Bourdonnais

113, avenue de la Bourdonnais, 75007
Tél. (1) 47.05.47.96
Atmosphère sympathique dans ce petit restaurant qui sert à la fois des plats simples et sophistiqués.

Bristol

112, rue du Faubourg St.-Honoré, 75008
Tél. (1) 42.66.91.45
Le restaurant du très grand hôtel Bristol. Délicieux jardin en été et décor Régence en hiver. Fréquenté par les banquiers, les politiciens et les grands industriels.

Bûcherie

41, rue de la Bûcherie, 75005
Tél. (1) 43.54.78.06
Superbe situation, juste en face de la cathédrale Notre-Dame. La nouvelle cuisine prédomine. Service attentif.

Jacques Cagna

14, rue des Grands-Augustins, 75006
Tél. (1) 43.26.49.39
Fax (1) 43.54.54.48
Situé au 1er étage d'une vieille demeure parisienne, avec poutres apparentes et natures mortes aux murs. Fermé samedi et dimanche. Réserver pour le dîner (on trouve plus facilement une table à midi).

Carré des Feuillants

14, rue de Castiglione, 75001
Tél. (1) 42.86.82.82
Fax (1) 42.86.07.71
Réserver deux jours à l'avance. Excellente cuisine, avec toute la saveur distinctive du sud-ouest (Armagnac). Décor luxueux. Les natures mortes contemporaines se marient bien avec la cuisine.

Le Céladon

15, rue Daunou, 75002
Tél. (1) 42.61.57.46
Fax (1) 42.60.30.66
Le restaurant de l'hôtel Westminster. Plus fréquenté à midi que dans la soirée, cet excellent établissement au cadre élégant propose une cuisine légère, moderne et subtile.

Chez Françoise ▮
Aérogare des Invalides, 75007
Tél. (1) 47.05.49.03
Chez Françoise est le rendez-vous de prédilection des députés. La spécialité du restaurant: viandes et poissons fumés.

Chez Omar ▮
47, rue de Bretagne, 75003
Tél. (1) 42.72.36.26
D'excellents couscous et viandes grillées vous attendent dans ce restaurant tunisien. Très populaire – en soirée surtout, quand l'atmosphère «chauffe».

Chez Pauline ▮
5, rue Villedon, 75001
Tél. (1) 42.96.20.70
Plus qu'un simple bistrot: un établissement délicieux, plein d'idées originales. Venaison, et spécialités comme les queues de langoustine en bouillabaisse.

Chiberta ▮▮
3, rue Arsène-Houssaye, 75008
Tél. (1) 45.63.77.90
Une clientèle fidèle accorde ses faveurs à cet élégant restaurant, situé à deux pas de l'Etoile. Cuisine et atmosphère agréables.

Copenhague ▮
142, avenue des Champs-Elysées, 75008
Tél. (1) 43.59.20.41
Situé non loin de l'Etoile. Le joli patio apporte un brin de fraîcheur. Spécialités danoises.

Le Divellec ▮▮▮
107, rue de l'Université, 75007
Tél. (1) 45.51.91.96
Fax (1) 45.51.31.75
Fruits de mer. Fermé dimanche et lundi. Restaurant de 1e classe, grand spécialiste du poisson; plats simples, mais succulents.

Duquesnoy ▮▮▮
6, avenue Bosquet, 75007
Tél. (1) 47.05.96.78
Fax (1) 44.18.90.57
Fermé samedi midi et dimanche. Un ravalement récent a donné un coup de balai dans le décor... et dans la cuisine, des plus innovatrices. Essayez, par exemple, le Saint-Jacques fumé à la minute.

La Fermette Marbeuf ▮
5, rue Marbeuf, 75008
Tél. (1) 47.20.63.53
Mérite une visite, ne serait-ce que pour le décor art nouveau de la salle du fond. (La cuisine vaut également le déplacement.)

La Flamande ▮▮
12, avenue Rapp, 75007
Tél. (1) 47.05.91.37
Excellente cuisine dans cet établissement discret. La venaison est particulièrement recommandée.

Grand Véfour ▮▮▮
17, rue de Beaujolais, 75001
Tél. (1) 42.96.56.27
Fax (1) 42.86.80.71
Beau bâtiment de la fin du XVIIIe siècle, dans le cadre du Palais-Royal. Fermé samedi midi et dimanche. Cuisine légère, moderne.

Lipp (Brasserie) ▮▮
152, bvd. Saint-Germain, 75006
Tél. (1) 45.48.53.91
On s'arrache ses tables, à Saint-Germain-des-Prés. A ne manquer sous aucun prétexte pour le plus grand spectacle du quartier – si on vous laisse entrer...

Lucas-Carton ▮▮▮
9, place de la Madeleine, 75008
Tél. (1) 42.65.22.90
Fax (1) 42.65.06.23
A côté de la Madeleine. Cuisine d'une grande virtuosité d'Alain Senderens. Le menu est composé de 60 recettes originales, créées depuis 1968.

Mercure Galant ▮▮
15, rue des Petits-Champs, 75001
Tél. (1) 42.96.98.89
Fax (1) 42.96.08.89
Le *Mercure-Galant* est un vaste établissement du XIXe siècle, un peu vieux-jeu. Excellente cuisine.

Au Pied de Cochon ▮▮
6, rue Coquillière, 75001
Tél. (1) 42.36.11.75
Restaurant sympathique. Spécialités: poisson et pieds de cochon fourrés au pâté de truffes. Dans le quartier des Halles.

Pharamond ▮
24, rue Grande-Truanderie, 75001
Tél. (1) 42.33.06.72
Dans un authentique décor belle-époque, ce restaurant transforme les tripes et abats les plus modestes en des plats de grande qualité.

Perraudin ▮
157, rue Saint-Jacques, 75005
Tél. (1) 46.33.15.75
Cuisine bourgeoise dans le Quartier latin: andouillette, bœuf bourguignon et tarte Tatin, servis avec le sourire. Trois brunches le dimanche.

Quai des Ormes ▮▮
72, quai Hôtel de Ville, 75004
Tél. (1) 42.74.72.22
Fax (1) 42.74.64.85
Un restaurant fort apprécié, à deux pas de l'Hôtel de Ville. Les prix sont raisonnables.

Récamier ▮▮
4, rue Récamier, 75007
Tél. (1) 45.48.86.58
Fax (1) 42.22.84.76
Lieu de prédilection des éditeurs et des politiciens, qui aiment sa cuisine saine et copieuse.

Régence

25, avenue Montaigne, 75008
Tél. (1) 47 23 78 33
Le restaurant de l'hôtel Plaza-Athénée. Un des plus somptueux «palais» parisiens, avec une ravissante terrasse couverte et une cuisine plus standard.

Relais Louis XIII

1, rue du Pont de Lodi, 75006
Tél. (1) 43.26.75.96
Vieille bâtisse historique, atmosphère assortie. Cuisine traditionnelle, mais avec une pointe de modernisme. Le poisson remporte la palme.

Restaurant d'Alsace

39, avenue des Champs-Elysées 75008
Tél. (1) 43.59.44.24
Ouvert 24 heures sur 24. Spécialités alsaciennes. Un établissement populaire sur les Champs-Elysées.

Ritz-Espadon

15, placeVendôme, 75001
Tél. (1) 42.60.38.30
Cadre grandiose dans ce «palace» grand style. Repas *al fresco*.

Taillevent

15, rue Lamennais, 75008
Tél. (1) 45.61.12.90
Un restaurant connu, des plus réputés. Réserver au moins un mois à l'avance pour le déjeuner, deux mois et plus pour le dîner. Situé dans un superbe hôtel particulier.

Tan Dinh

60, rue Verneuil, 75007
Tél. (1) 45 44 04 84
Le meilleur restaurant vietnamien de Paris, d'après certains. Un des plus populaires, en tout cas.

Le Texan

3, rue Saint-Philippe du Roule, 75008
Tél. (1) 42.25.09.88
Décor dans le vent pour les meilleurs tex-mex de Paris.

Tour d'Argent

15–17, quai de la Tournelle, 75005
Tél. (1) 43.54.23.31
Belle vue de Notre-Dame. Les caves recèlent quelques 300 000 bouteilles. A visiter, sur réservation. Fermé lundi.

Jules Verne

2e étage, tour Eiffel, 75007
Tél (1) 45.55.61.44
Fax (1) 47.05.94.40
S'y prendre longtemps à l'avance pour réserver. Accès par un ascenceur privé, dans le pilier est (à 123m). Décor original, par Slavik. On dit que la meilleure vue de Paris est celle donnant sur le palais de Chaillot.

LE GRAND PARIS

Apicius ▮▮

122, avenue de Villiers, 75017
Tél. (1) 43.80.19.66
Fax (1) 44.40.09.57
Considéré comme l'un des meilleurs restaurants de Paris, l'*Apicius* est devenu extrêmement populaire. Excellent de l'entrée au dessert (tous les desserts sont des créations du chef).

Beauvilliers ▮▮

52, rue Lamarck, 75018
Tél. (1) 42.54.54.42
Fax (1) 42.62.70.30
Décor original. Terrasse pour repas *al fresco*. Fermé lundi midi, dimanche et jours fériés.

Le Bistrot d'André ▮

232, rue Saint-Charles, 75015
Tél. (1) 45.57.89.14
Cet établissement était le bistrot de quartier des ouvriers des usines Citroën – il appartenait à André Citroën lui-même. Les murs sont tapissés d'anciens journaux et documents d'époque: le parfait décor pour déguster des bons plats, typiquement français, comme le bœuf bourguignon et l'andouillette.

Le Café Moderne ▮

19, rue Keller, 75011
Tél. (1) 47.00.53.62
Une jeune équipe dans ce vieux bistrot propose des plats revigorants comme le boudin et la saucisse de Morteau, ainsi que des plats plus légers.

La Cagouille ▮

10, place Constantin-Brancusi, 75014
Tél. (1) 43.22.09.01
Fax (1) 45.38.57.29
Restaurant populaire, bien connu des amateurs de poisson. Décor moderne. Situé dans le quartier Montparnasse.

Les Célébrités ▮▮▮

61, quai de Grenelle, 75015
Tél. (1) 40.58.20.00
Dans l'hôtel Nikko. Cadre élégant; excellent service.

Charlot Ier «Merveilles des Mers» ▮▮

128 bis, bvd. de Clichy, 75018
Tél. (1) 45.22.47.08
Derrière la place Clichy, sur deux étages. Spécialités de poisson, remarquablement bien préparé, tout en restant d'une grande simplicité – et d'une grande fraîcheur. Vous rêvez d'une bonne bouillabaisse? Ne cherchez pas plus loin.

Chartier ▮

7, rue du Faubourg Montmartre, 75009
Tél. (1) 47.70.86.29

Un des restaurants les moins chers de la capitale, qui attire les foules par ses repas bon marché et son charmant décor vieillot. Cuisine bourgeoise traditionnelle; honnête, sans plus.

Au Chateaubriant

23, rue de Chabrol, 75010
Tél. (1) 48.24.58.94
Le grand poète Jacques Prévert comptait parmi les habitués, et le décor a des tendances «artistiques». Bonne carte des vins.

Chez Michel

10, rue de Belzunce , 75010
Tél. (1) 48.78.44.14
Une atmosphère agréable, presque provinciale, dans ce restaurant dont la cuisine est excellente.

Conti

72, rue Lauriston, 75116
Tél. (1) 47.27.74.67
Ancien collègue des frères Troisgros, à Roanne, le chef est particulièrement réputé pour ses pâtes.

Etoile d'Or

3, place du Général-Koenig, 75017
Tél. (1) 40.68.51.28
Fax (1) 40.68.50.43
Le restaurant de l'hôtel Concorde-Lafayette. En dépit de sa taille, l'*Etoile d'Or* réserve à ses clients un accueil chaleureux et un excellent service.

Faugeron

52, rue de Longchamp, 75116
Tél. (1) 47.04.24.53
Fax (1) 47.55.62.90
Vous serez traité comme un coq en pâte dans ce charmant restaurant. Frappant décor jaune et bleu. Un des meilleurs sommeliers de Paris vous aidera à faire votre choix.

Guyvonne

14, rue de Thann, 75017
Tél. (1) 42.27.25.43
Guy Cros aime le poisson, et vous aurez le choix entre six ou sept plats de poisson, selon les arrivages. Abats et plats campagnards sont également à l'honneur.

Le Madigan

22, rue de la Terrasse, 75017
Tél. (1) 42.27.31.51
Cuisine de haut vol, en particulier le poisson et les crustacés tout frais. Et pour le dessert: Bach, Lizst ou De Falla? Tous les soirs, le *Madigan* propose un récital de musique classique.

Le Manoir de Paris

6, rue Pierre-Demours, 75017
Tél. (1) 45.72.25.25
Charmant cadre belle-époque et cuisine au goût du jour. A l'étage, *La Niçoise* sert de très bons plats provençaux à des prix plus abordables.

Morot-Gaudry ▮▮
6, rue de la Cavalerie, 75015
Tél. (1) 45.67.06.85
Repas sur le toit, au 8e étage, avec une vue splendide. Cuisine classique, mais originale.

Olympe ▮▮
8, rue Nicolas-Charlet, 75015
Tél. (1) 47.34.86.08
Olympe est un chef en jupons bien connue à Paris. Les habitués s'y bousculent.

Opéra-Café de la Paix ▮▮
Place de l'Opéra, 75009
Tél. (1) 40.07.30.10
Fax (1) 42.66.12.51
Dans ce cadre exceptionnel, une cuisine classique et traditionnelle prend sa juste place.

Relais d'Auteuil ▮▮
31, bvd. Murat, 75016
Tél. (1) 46.51.09.54
Fax (1) 40.71.05.03
Une cuisine jeune, sympathique et pleine d'inspiration dans un brillant décor. Essayez le menu dégustation.

Le Péché Mignon ▮
5, rue Guillaume-Bertrand, 75011
Tel (1) 43.57.02.51
Réputé pour ses plats de poisson. Essayez le panaché de poissons fins à la julienne de légumes.

Michel Rostang ▮▮▮
20, rue Rennequin, 75017
Tél. (1) 47.63.40.77
Fax (1) 47.63.82.75
Réserver au moins trois jours à l'avance. Un des grands restaurants de Paris. Accueil et atmosphère chaleureux dans un cadre moderne. Produits frais.

Sormani ▮▮
4, rue du Gén.-Lanrezac, 75017
Tél. (1) 43.80.13.91
Les amateurs de cuisine italienne ne seront pas déçus. Excellente carte des vins.

Timgad ▮
21, rue Brunel, 75017
Tél. (1) 45.74.23.70
Fax (1) 40.68.76.44
Cuisine nord-africaine dans un cadre confortable. Service attentif. Si vous êtes nombreux, essayez le méchoui – agneau rôti sur feu de bois.

Vivarois ▮▮▮
192, avenue Victor-Hugo, 75116
Tél. (1) 45.04.04.31
Fax (1) 45.03.09.84
Attendez-vous à quelque chose «en plus», quelle que soit votre commande. La cuisine de Claude Peyrot est des plus inventives. Ses terrines (chaudes ou froides) et ses pâtés sont renommés. Le menu change régulièrement.

Dès sa naissance, la **tour Eiffel** connut un succès retentissant. En 1889, 2 millions de visiteurs payèrent 5 francs par tête pour monter au sommet. Très controversée à l'origine, la Tour n'a jamais cessé d'attirer les foules: ne serait-ce que pour cette raison, elle a acquis sa place légitime dans le paysage parisien. Certains monuments célèbrent des grands personnages, d'autres commémorent des victoires ou honorent des saints ou des souverains. La Tour, elle, est un monument en soi, un défi lancé au monde, une structure dont l'intelligence fait la nique à l'esthétisme. Construite pour l'Exposition universelle de 1889, ce fut aussi un triomphe de la technique: 15 000 éléments d'acier assemblés par 2 500 000 rivets s'élancent dans le ciel, à 300m de hauteur; 40 tonnes de peinture furent nécessaires pour lui faire une beauté; 10 000 lampes à gaz pour lui donner son éclat la nuit. Ce fut, à l'époque, la plus haute construction du monde.

Le jour de l'inauguration, les ascenseurs n'étaient pas encore en service: le Premier ministre Pierre-Emmanuel Tirard, âgé de 62 ans, dut s'arrêter au 1er étage (à 57m du sol) pour laisser au ministre du Commerce le soin d'atteindre le sommet et d'y remettre à Gustave Eiffel l'insigne de la Légion d'honneur. «Inutile et monstrueuse» selon «la protestation des trois cents» (rédigée par la ligue des artistes et écrivains contre la construction de ce «chandelier creux»), la tour aurait dû être démolie en 1910, mais personne n'osa exécuter la sentence. Aujourd'hui, ce serait commettre un sacrilège que d'y toucher; d'ailleurs, personne n'y penserait. Et lorsqu'en 1985, on installa des projecteurs pour l'illuminer *de l'intérieur*, même ses critiques les plus acharnés durent reconnaître que c'était «quelque chose».

Le 1er étage possède un restaurant; les deux autres des bars. Par temps clair, la vue porte jusqu'à 65 kilomètres à la ronde. Cela dit, c'est souvent du 2e étage que la visibilité est la meilleure; essayez de vous y trouver une heure avant le crépuscule: la vue est sublime.

Les grands musées

Paris s'enorgueillit de posséder plus de musées qu'aucune autre capitale, et le nombre ne cesse de s'accroître. Vous devrez acquitter un droit d'entrée, ce qui revient assez cher pour une famille. C'est pourquoi nous vous suggérons d'investir dans une carte à cet effet (voir p.119). Le dimanche, certains musées sont gratuits ou à demi-tarif, à l'instar du Louvre.

LE GRAND LOUVRE

Le Louvre remporte la palme du plus beau bâtiment. Et si son ravalement et l'adjonction de la pyramide ont sensiblement atténué son aspect vieillot et intimidant, il reste de dimensions impressionnantes. S'attaquer au musée de peinture et de sculpture le plus complet du monde constitue sans con-teste une expérience exaltante: on y compte en effet des pièces datant de 5000 ans av. J.-C. jusqu'à 1848 (au delà, le musée d'Orsay prend la relève).

Procurez-vous un «guide acoustique»; ces bandes enregistrées constituent une bonne introduction sur nombre de sujets. N'oubliez pas l'extérieur du musée – maintenant que les grands travaux de nettoyage de l'aile Richelieu (l'ancien ministère des Finances) sont bien avancés, vous en apprécierez davantage la superbe harmonie architecturale. Ne vous y trompez pas: cela fait huit siècles que le Louvre est remanié. En 1190, Philippe-Auguste, voulant protéger la ville contre de potentielles attaques fluviales lors de son absence aux Croisades, fit élever un premier fortin dans la cour Carrée (à l'est); de nos jours, c'est François Mitterand qui a fait ériger la pyramide de verre dans la cour Napoléon. Traversez les jardins de la place du Carrousel. Admirez les statues de Maillol et prenez le temps de vous asseoir quelques minutes. Vous prendrez alors la mesure de l'ancienne demeure des rois de France et de la vitrine qu'elle est devenue pour des trésors du monde entier.

Le «nouveau» Louvre se trouve encore agrandi par le départ du ministère des Finances de l'aile nord, sur la rue de Rivoli (voir p.60). C'est un modèle d'agencement. Il comprend, en gros, trois sections portant des noms illustres: l'aile Richelieu (qui devrait s'ouvrir en 1993), l'aile Sully, à l'est, et l'aile Denon, le long de la Seine. Chaque section se décompose à son tour en «arrondissements», et chaque étage a sa propre couleur: bleu pour le rez-de-chaussée, rouge pour le 1er étage et jaune pour le 2e. La mezzanine, où furent découverts les premiers vestiges datant de Philippe Auguste, est grise.

Quoi que vous puissiez en penser, la dernière addition au Louvre, la pyramide de l'architecte sino-américain I.M. Pei, dote le palais d'une spectaculaire entrée moderne. Un escalier roulant vous emmène au sous-sol, où vous trouvez cafés, librairies et guichets

d'entrée. De là partent les couloirs desservant les diverses ailes du musée.

Lorsqu'en 1793, les chefs révolutionnaires firent du palais un musée national, ce dernier renfermait une collection de 630 objets d'art; l'inventaire récent fait état de 250 000 objets. Il est donc nécessaire de faire un choix pour la visite. Pour vous donner un aperçu global des collections, nous vous soumettons les pièces maîtresses de chaque section.

Antiquités égyptiennes: la déesse *Sekhmet* à tête de lion (1400 av. J.-C.); la colossale représentation d'*Amenophis III* (1370 av. J.-C.).

Antiquités grecques: la *Victoire de Samothrace* et l'admirable *Vénus de Milo*.

Art italien: les *Esclaves*, sculpture de Michel-Ange; la célébrissime *Joconde* de Léonard de Vinci et sa sublime *Vierge aux rochers*; la voluptueuse *Jeune Femme à sa toilette* et l'austère *Mise au Tombeau* du Titien; le pathétique *Portrait d'un vieillard avec un enfant* de Ghirlandaio.

Art français: l'aigre-doux *Les Bergers d'Arcadie* de Poussin; le *Gilles* mélancolique de Watteau, et le gracieux *Embarquement pour Cythère*; de Fragonard, *Le Verrou*, si chargé d'érotisme; de Delacroix, *La Liberté guidant le Peuple*; de Courbet, *L'Enterrement à Ornans*, étude saisissante de la bourgeoisie de province.

Ecoles flamande et hollandaise: de Rembrandt, l'aimable *Autoportrait à la Toque*; le tendre *Portrait de Hendrickje Stoffels*, également représentée nue dans *Bethsabé au Bain*; de Van Dyck, l'élégant *Charles I*er*, roi d'Angleterre*; parmi les douzaines de Rubens authentifiés, son portrait intimiste d'*Hélène Fourment et ses enfants*; de Jordaens, *Les Quatre Evangélistes*, représentés sous les traits de Hollandais affairés.

Ecole allemande: un *Autoportrait* saisissant de Dürer; de Holbein, le portrait d'*Erasme*.

Le Louvre d'hier et d'aujourd'hui. La pyramide de verre de I.M. Pei a «dépoussiéré» le plus célèbre musée de Paris.

Ecole espagnole: Le *Portrait de la Reine Marianne*, peu flatteur, signé Vélasquez; du Greco, *Le Christ en Croix*, empreint de mysticisme; de Ribera, *Le Pied-Bot*, ironique et cruel.

Ecole anglaise: de Gainsborough l'exquise *Conversation dans un Parc*; de Turner, *Paysage avec une rivière et une baie*.

Ecole américaine: *La Mère* de Whistler.

ORSAY

«La gare est si belle que l'on dirait le musée des Beaux-Arts, et puisque le musée des Beaux-Arts ressemble à une gare, je suggère... échangeons-les pendant qu'il en est encore temps.» C'est ce qu'en 1900 écrivait, non sans ironie, le peintre Detaille, et c'est plus ou moins ce qui se produisit. Faisant face aux Tuileries, de l'autre côté de la Seine, l'ancien palais d'Orsay, devenu gare en 1900, ouvrait ses portes au public en 1986, en tant que **musée d'Orsay**. Le bel hôtel du XIXe siècle est entièrement consacre à la création artistique française, de 1848 à 1914. Il prend en effet la suite du Louvre dans la chronologie. Tout en conservant la «coquille», le décorateur italien Gac Aulenti a conçu un intérieur moderne et lumineux, qui abrite sous un

La Liberté guidant le Peuple, *de Delacroix, au Louvre. En bas et à droite: la sculpture est bien représentée au musée d'Orsay.*

même toit les œuvres auparavant dispersées de cette époque. La magnifique collection des Impressionnistes, auparavant au Jeu de Paume, y est particulièrement bien mise en valeur. Le rez-de-chaussée est plus particulièrement consacré à la sculpture, bien représentée, et d'autres domaines artistiques trouvent aussi leur place dans le musée. Les débuts de la photographie (1839) y figurent. La présentation des œuvres et l'éclairage sont surprenants: il n'est pas un coin de cette ancienne gare de chemin de fer qui n'ait été astucieusement utilisé. (Le musée est ouvert tous les jours de 10h à 18h, et jusqu'à 21h 45 le jeudi.)

BEAUBOURG

«Ça va leur faire pousser des hurlements» déclara Georges Pompidou, lorsqu'il donna son accord au projet retenu (parmi 681) pour le Centre national d'art et de culture, plus connu sous le nom de Centre Pompidou, ou plus court encore: Beaubourg, du nom de ce quartier du XVIIIe siècle.

Et il n'avait pas tort: cette «raffinerie de pétrole» multicolore alimenta la polémique pendant des années, pour se fondre insensiblement dans le paysage parisien, comme l'avait fait la tour Eiffel en son temps. Ce lieu où se côtoient une bibliothèque publique, un musée d'art moderne, des ateliers de création pour les enfants, une cinémathèque, un centre de création industrielle, un laboratoire de musique expérimentale, et, sur le parvis, un cirque en plein air, est à la fois une ruche bourdonnante de vie et l'un des spectacles les plus courus de la capitale.

Ses architectes, les Italiens Renzo Piano et Gianfranco Franchi, et l'Anglais Richard Rogers, acceptent volontiers la comparaison avec une «raffinerie»: c'est en effet de propos délibéré qu'ils ont laissé apparents les organes fonctionnels de l'édifice. 11 000m^{2} de verre, 15 000 tonnes d'acier, 30 centrales de climatisation et 41 escalators composent cette structure de 42m de haut et de 166m de long. En termes de statistiques, tout y est étonnant.

En 15 ans, le centre a accueilli 700 expositions, 1000 débats et conférences et quelques 600 concerts; et depuis son ouverture en 1977, 90 millions de visiteurs se sont pressés à ses portes.

Même si la peinture s'écaille par endroits, et si l'éclat des débuts s'est un peu atténué, une seule journée ne suffirait pas à en épuiser les possibilités. Mais, parfois, les plaisirs les plus simples sont aussi les meilleurs: regardez les «bateleurs» du parvis; asseyez-vous au bord de la

Le parvis de Beaubourg est l'un des lieux les plus animés de la capitale.

fontaine Stravinsky; empruntez les gros tubes transparents qui rampent le long de la façade, pour admirer Paris qui s'étale sous vos yeux. (C'est des 3e et 4e étages que la vue sur les toits est la plus belle.)

CITÉ DES SCIENCES ET DE L'INDUSTRIE: LA VILLETTE

S'il est une chose que cette institution n'apprécie guère, c'est de se faire appeler un «musée»: d'abord, elle abrite toute une gamme de musées et d'activités; ensuite, elle a une approche toute pragmatique du monde moderne: «participation» est le maître-mot.

Si vous vous rendez à la Villette – banlieue quelque peu miteuse à la lisière nord-est de Paris, métro Porte de la Villette –, vous passerez une journée bien remplie. La cité élargira votre compréhension de la science moderne. L'architecte Alain Fainsilber s'appuie sur trois grands thèmes: l'eau, la lumière et la végéta-

tion, et sur deux couleurs: le bleu et le gris. L'architecture est résolument fonctionnelle: c'est une sublimation toute logique de Beaubourg, mais en quatre fois plus grand, et même si on s'est attaché à en rendre l'approche facile, les esprits scientifiques reconnaissent volontiers le haut niveau des informations présentées.

Le meilleur symbole de la Villette est la brillante sphère de la **Géode**. Cet assemblage de 6433 triangles d'acier inoxydable abrite une salle de cinéma dotée d'un écran hémisphérique géant, de 36m de diamètre. Vous aurez l'impression d'être plongé droit dans le film. Le centre comporte aussi le **Zénith**, ce temple monumental de la musique rock. L'ensemble est construit dans un parc, près d'un canal, et on peut donc y accéder par bateau (voir p.124). Toute la famille y trouve son compte.

Symbole de la Villette, la saisissante Géode d'acier abrite un cinéma révolutionnaire.

Excursions

VERSAILLES

Quiconque ose s'octroyer le titre de «Roi-Soleil» fait montre d'une bonne dose de mégalomanie. Louis XIV n'en manquait certes pas. Fort heureusement, il avait aussi de l'esprit, du goût et une vision à long terme. Las de Paris, de sa racaille par trop inflammable et d'une aristocratie de plus en plus exigeante, Louis fit d'une pierre deux coups. Quoi de mieux, en effet, que de laisser la capitale à prudente distance, tout en gardant une main ferme sur les fauteurs de trouble potentiels? A Versailles, la noblesse aurait tout le loisir de jouer des coudes pour l'obtention de faveurs aussi futiles que celle d'être admis au lever du Roi... et Louis pourrait dormir tranquille.

A l'image de Louis XIV, Versailles est donc d'une extravagance folle, d'une pompe grandiose, d'un lustre éblouissant, d'une majesté formidable et d'une gloriole éhontée.

Louis XIII n'avait eu pour toute ambition que de faire de son pavillon de chasse préféré un modeste lieu de retraite. Son fils, lui, en fit le centre de l'univers.

La visite du château de Versailles est l'une des excursions favorites au départ de Paris. La ville mérite sans conteste qu'on lui consacre une bonne journée. Le trajet d'une vingtaine de kilomètres est facile et rapide par la ligne C5 du RER. Par ailleurs, on peut préférer une visite guidée en car – départ du jardin des Tuileries, côté rue de Rivoli. Cependant, il se peut que vous choisissiez de faire un circuit à votre rythme. Nous suggérons le programme suivant: le matin, visite du palais, promenade dans les jardins et déjeuner au bord du grand canal (prenez vos provisions pour échapper à l'arnaque versaillaise). Après le déjeuner, sieste, puis goûter dans les jardins du Petit Trianon; et pour finir, retour par les jardins du palais pour une dernière vision du château, au crépuscule. N'oubliez pas: le château est fermé le lundi.

L'aile centrale du bâtiment, où résidait la famille royale, fut conçue en 1661 par Louis le Vau, Jules Hardouin-Mansart et le paysagiste André Le Nôtre. Il fallut 21 ans pour la construire. Le Vau dessina aussi la cour de Marbre. Franchie la grille d'honneur, ne manquez pas la **chapelle Royale**, joyau du haut baroque; les **Grands Appartements** où se tenaient les réceptions, trois fois par semaine; le **salon de Diane** où le roi s'essayait au billard (on le laissait toujours gagner, majesté oblige). Traversez une enfilade de magnifiques salons pour parvenir à la pièce maîtresse du palais, l'étincelante **galerie des Glaces**, de 73m de long, conçue pour capter le moindre rayon du soleil couchant dans ses immenses miroirs, revêtus de 17 panneaux élancés et cintrés. C'est dans la **chambre de la reine** que 19 enfants royaux

Versailles et ses splendides jardins à la française éblouissent toujours les visiteurs.

virent le jour; quant à la **chambre du roi**, ou Louis XIV mourut de la gangrène en 1715, et au superbe **Opéra** (de Louis XV), ils font en général l'objet d'une visite séparée.

La façade ouest du palais, face au jardin, est sans nul doute la plus impressionnante. Tâchez de vous y trouver à l'heure des jeux d'eau (dès 15h 30, trois dimanches par mois, de mai à septembre). Il faut également visiter le Grand Trianon, ce palais miniature où Louis XIV aimait se retirer; le Petit Trianon, cher à Louis XV, et le hameau où Marie-Antoinette s'évadait des contraintes de la cour.

LA DÉFENSE

Seriez-vous tenté par une excursion à la Défense? Même si elle fait partie de Paris, elle se trouve néanmoins à la lisière de la capitale: les Parisiens ne manquent d'ailleurs pas de souligner ce côté «périphérique». En partant de l'Etoile, par la longue avenue de la Grande Armée, la forêt de tours se fait plus touffue à mesure que vous approchez de la banlieue chic de Neuilly. Traversez la Seine et vous y êtes: une jungle de béton, mais non sans âme.

La Défense est plus qu'un quartier d'affaires international: c'est un Manhattan miniature. Après mai 1968, lorsque le président Pompidou entama la modernisation du pays, il donna le coup d'envoi à cet ambitieux projet. De fil en aiguille, la Défense a fini par devenir une ville dans la ville.

La **Grande Arche**, puissant symbole du complexe, domine toutes les tours dans le lointain; mais c'est seulement en l'approchant que vous prenez toute la mesure de ses dimensions. C'est en fait un énorme cube creux de 110m de haut et de 106m de large, sous lequel on pourrait faire passer les Champs-Elysées et où Notre-Dame tiendrait sans peine. L'architecte danois Johann-Otto Von Sprekelsen mena l'œuvre à bien en un temps record: il obtint la commande en 1983 et en 1989, tout était terminé! La Grande Arche est dans l'alignement de la cour

Carrée du Louvre, en biais par rapport aux Champs-Elysées. Si l'on aborde Paris par l'ouest, on découvre ses pignons habillés de marbre blanc de Carrare et ses façades extérieures de marbre poli gris et de verre; les murs intérieurs sont recouverts d'aluminium.

Du pied des marches du vaste parvis, ses proportions sont tout à fait hallucinantes. Les deux «jambes» de l'arche logent des bureaux alors que vous trouvez, au sommet, quatre salles de conférences et plusieurs patios. Admirez-y la *Carte du Ciel* de Jean-Pierre Reynaud. Des ascenseurs vous transportent en un rien de temps jusqu'à la terrasse, à travers un «nuage» de fibre de verre et de téflon, qui semble flotter sur un réseau de fils d'acier tendus entre les murs. L'effet d'«inachevé» donne assurément à l'ensemble une dimension futuriste.

La Défense: un «Manhattan miniature» et une «ville dans la ville»? A vous d'en juger...

Passez la pause-déjeuner en compagnie des œuvres de Miró et de Calder, ou au pied de la fontaine de Tinguely. Les 36 statues, fontaines et fresques, signées d'artistes modernes de renom, sont toutes indiquées sur des plans spécialement conçus; elles sont réparties dans les onze secteurs du complexe de la Défense, qui s'étale en paliers depuis l'Arche jusqu'à l'allée centrale et au pont de Neuilly.

L'EURO DISNEY RESORT

L'Euro Disney Resort ne se visite pas en quelques heures; c'est un centre de vacances complet, doté de multiples attractions et équipé pour un long séjour. D'une superficie de 600 hectares, le site continuera de s'agrandir dans l'avenir. En plus du parc proprement dit, vous y trouverez un lac artificiel, un centre de loisirs, un terrain de golf, des courts de tennis, des piscines, des hôtels, des terrains de camping, des restaurants et un centre de congrès. Pour de plus amples renseignements, appelez le 49.41.49.10.

Le complexe est situé sur la commune de Marne-la-Vallée, à 32 km à l'est de Paris. Une nouvelle autoroute lui assure un accès facile, tant depuis Paris que des aéroports internationaux de Roissy-Charles-de-Gaulle et d'Orly. Des navettes ferroviaires rapides RER depuis Paris, et des trains du réseau TGV depuis la province, déposent les voyageurs à l'entrée du parc d'attractions.

Le parc se divise en cinq pays ou «lands»: Frontierland, Adventureland, Fantasyland et Discoveryland. On pénètre dans chacun de ces pays par la Main Street, USA, en elle-même un pays.

La Main Street recrée l'atmosphère d'une petite ville de province américaine du début du siècle, avec ses boutiques de confiserie et ses marchands de glaces. Et tandis que Monsieur se fait faire une coupe traditionnelle chez le barbier, Madame et les enfants peuvent écouter un quatuor de «crooners» roucouler leurs sérénades. La statue de la Liberté est présente sous la forme d'un tableau vivant; n'oublions pas, en effet, que c'est la France, hôte d'Euro Disneyland, qui offrit l'original à New-York dans les années 1880. Et maintenant, partez à la découverte des autres «pays».

Frontierland, c'est l'univers des pionniers du Far-West. On y a fidèlement reconstitué une ville minière, avec son ranch, son stand de tir, et ses canoës indiens.

Dans **Advantureland**, prenez le large en compagnie des Pirates des Caraïbes et explo-

Les montagnes russes de la Big Thunder Mountain vous attendent!

rez les grottes, tunnels et cascades d'Adventure Isle.

Fantasyland, c'est avant tout le domaine de Walt Disney et de ses héros de dessins animés. Vous ne pouvez manquer l'attraction majeure – symbole d'Euro Disneyland – le château couvert de tourelles de la Belle au bois dormant.

Du passé féerique de Fantasyland, vous serez propulsé dans le monde du futur à **Discoveryland**. Les systèmes électroniques hypersophistiqués créés en Floride à Walt Disney World vous permettent de voyager dans un vaisseau spatial à Orbiton, de piloter une voiture de course futuriste à Autopia, ou de rejoindre Michael Jackson au Ciné-Magique, où il joue le rôle du «Captain EO».

Que faire

Pour vous tenir au courant de ce qui se passe au jour le jour, à Paris, il vous suffit d'acheter l'un des deux excellents guides des spectacles de la semaine: *Pariscope*, ou l'*Officiel des Spectacles*. Berlitz publie également *Paris 1001 adresses*, qui recense toutes les adresses indispensables dans les domaines les plus variés.

Lèche-vitrines sous les arcades de la place des Vosges.

LES ACHATS

Conseils pratiques

La plupart des boutiques et des grands magasins sont ouverts de 8h ou plus couramment 9h du matin jusqu'à midi, puis de 14h à 19h, du mardi au samedi. Les boulangeries ouvrent les premières, et vous trouverez toujours une petite épicerie de quartier ouverte le soir jusqu'à 21h, voire 22h en été. Les commerces d'alimentation ont tendance à fermer à midi, mais même le dimanche, vous ne serez pas en panne. Le drugstore des Champs-Elysées est ouvert jusqu'à minuit tous les soirs. Quant à la guerre pour ou contre l'ouverture des magasins le dimanche, elle fait toujours rage.

Boutiques et grands magasins

C'est sans doute une bonne idée de réserver un ou deux jours au shopping: en groupant vos achats, vous pourrez peut-être bénéficier de la détaxe à l'exportation. Les résidents de la Communauté européenne doivent dépenser 4200 francs dans un seul magasin pour y avoir droit (cette somme peut s'appliquer à des articles différents). Pour les non-résidents de la Communauté, la somme est réduite à 2000 francs.

Les deux «grands» **grands magasins** sont les Galeries Lafayette et le Printemps, à quelques pas l'un de l'autre sur le boulevard Haussmann. Le personnel vous montrera, si

besoin est, comment remplir le bordereau qui vous permet de récupérer la TVA au retour, dans votre pays. Même si les Galeries n'ont plus l'ancien grand escalier central, le spectacle des étages est toujours aussi saisissant. Le rayon de porcelaine est immense et les rayons des parfums et des bagages sont excellents. Le Printemps possède un rayon de chaussures exceptionnel; à recommander: les rayons de lingerie et des jouets.

La **FNAC** a des succursales à l'Etoile, Montparnasse et au Forum des Halles. On y trouve le plus grand choix de **livres**, **disques compact** et disques à prix réduits, ainsi que de **matériel photo** et de haute fidélité, du **matériel électronique** et des articles de sport. Sur les Champs-Elysées, Virgin Mégastore est le digne pendant de la FNAC dans le monde de la musique. D'autres grands magasins, tels que Marks & Spencers et C&A ont des antennes à Paris, mais les magasins plus typiques sont Au Bon Marché, à Sèvres-Babylone, et le plus ancien magasin de Paris, près du Pont-Neuf, la Samaritaine. Depuis le bar du 10e étage, la vue sur Paris est unique.

La librairie au sous-sol de la pyramide du Louvre vous

offre une remarquable collection de **livres d'art**. Celle du Centre Pompidou s'avère tout aussi bonne.

Pour la mode et ses accessoires, Paris reste incomparable, malgré la concurrence italienne ou japonaise. Les maisons de **haute couture** et leurs boutiques de prêt-à-porter ont délaissé la rive droite, rue du Faubourg-Saint-Honoré, avenues Montaigne et Georges V, en passant par les Halles et la place des Victoires, et ont essaimé rive gauche, autour de Saint-Germain-des-Prés.

Pour les **articles de maroquinerie**, Hermès (rue du Faubourg-Saint-Honoré) est une véritable institution. On y trouve ce qui se fait de mieux dans le style «équestre»: sacs à main, bagages, bottes d'équitation, et, fin du fin, agendas et carnets d'adresses. On ne présente plus les bagages Louis Vuitton, avenue Montaigne.

Les jeunes affectionnent une grande variété de boutiques disséminées dans la ville: Dorothée Bis, Naf-Naf, Pimky, Benetton... Les **vêtements d'enfants** sont adorables, mais les prix le sont moins. Essayez les grands noms du prêt-à-porter enfantin, comme Jacadi ou Tartine et Chocolat. Beaucoup moins cher et de qualité inférieure, vous avez la chaîne Tati (la succursale de Barbès-Rochechouard est particulièrement populaire: préparez-vous à jouer des coudes!).

Les bonnes affaires

Antiquités-brocante: ne vous faites pas d'illusion sur la chance de mettre la main sur la pièce rare; mais on peut toujours rêver! A vrai dire, de nombreux stands des **marchés aux puces** sont tenus par des antiquaires de métier. Le marché aux puces de Saint-Ouen, à deux pas de la station de métro Porte de Clignancourt, regroupe une douzaine de marchés.

A l'opposé de ces lieux populaires, les **antiquaires** de haut vol sont essentiellement regroupés rive gauche, dans des boutiques des VIe et VIIe arrondissements. Le carré des antiquaires, ce petit rectangle compris entre le quai Voltaire

Fouillez et chinez pour dénicher «votre» souvenir de Paris.

et le boulevard Saint-Germain d'une part, et les rues du Bac et des Saint-Pères de l'autre, constitue une sorte de musée d'art chinois, de la Haute-Egypte, pré-colombien, africain et polynésien; sans parler des Louis XV, second empire, art nouveau et art-déco. On est sûr d'y trouver son bonheur. Le Louvre des Antiquaires, ouvert tous les jours sauf le lundi, rassemble 250 boutiques. C'est assurément une concentration unique en Europe.

Les amateurs d'**art moderne** visiteront les nombreuses galeries du boulevard Saint-Germain et des rues adjacentes.

Le **marché du livre** (ancien et neuf) fait florès rive gauche, dans le Quartier latin, et tout précisément près de l'Odéon. Les **bouquinistes** occupent les quais, en particulier entre le pont Saint-Michel et le pont des Arts. Cela vaut la peine d'aller fouiller dans les masses de livres, de cartes postales et périodiques; on ne sait jamais ce qu'on peut découvrir.

L'**équipement ménager** n'est pas ce qu'il y a de plus pratique à ramener de voyage; cela dit, les articles de cuisine sont d'excellente qualité. Le quartier des anciennes Halles a conservé ses magasins d'articles de restauration, et on y trouve un choix exceptionnel de quincaillerie et d'articles de ménage dans les vénérables établissements Dehillerin Coquillière, et chez Mora, rue Montmartre.

Les **spécialités culinaires** seront toujours des cadeaux appréciés. Emballages et conditionnements modernes vous permettent de les faire voyager en toute sécurité; certaines maisons se chargent même de l'expédition de vos achats. Les deux grandes épiceries de luxe, Fauchon et Hédiart se font face, place de la Madeleine.

Côté **vins**, les meilleures affaires de Paris se trouvent dans les magasins Nicolas (150 antennes à Paris même). Le choix le plus étendu, vous le trouverez chez Legrand, rue de la Banque (banquiers et agents de change sont notoirement des connaisseurs). Le marchand de vin le plus original est sans doute celui des Caves de la Madeleine, où un Anglais organise des séances de dégustation.

Les **liqueurs** fortes sont certainement moins chères dans les boutiques hors-taxes, mais le choix y est plus limité.

LES SPORTS

La mode venue de Californie a gagné la France: tout le monde cherche à rester mince, beau et en forme. Le moyen le plus simple et le moins cher, c'est le jogging, ou le footing, qui se pratique surtout dans les grands espaces verts des Bois de Boulogne et de Vincennes. Cela dit, il se pratique aussi beaucoup aux Tuileries, et même à la Concorde, malgré la circulation. Les buttes du parc Montsouris, rive gauche, et les Buttes-Chaumont, rive droite,

fournissent des terrains d'exercices plus ardus. D'autres encore courent sur les berges de la Seine, là où la circulation automobile est absente, entre le Pont-Neuf et le Pont-Royal

Les courts de **tennis** ne manquent pas. Renseignez-vous auprès de la Fédération française de Tennis (stade Roland-Garros, 2, avenue Gordon-Bennett), ou contentez-vous des courts publics du jardin du Luxembourg, même si la loi de la jungle y pré-vaut. La capitale s'enorgueillit de posséder 400 clubs; certains passent des accords avec des hôtels, permettant aux clients de ceux-ci de profiter des courts. Renseignez-vous!

On s'amuse bien à la piscine Deligny, sur la Seine, près du Palais-Bourbon. Les maillots y sont réduits au minimum, et les employés de bureaux parisiens s'y persuadent, le temps de la pause de midi, que les vacances sont arrivées. Pour ceux qui prennent la **natation** au sérieux, la pis-cine olympique couverte du Centre de Natation, 34, boulevard Carnot, ou les 30 piscines municipales, ont de quoi satisfaire les vrais sportifs.

Les **courses de chevaux** l'emportent de loin quant au nombre de spectateurs. En été, Lonchamp et Auteuil rivalisent d'élégance avec Ascot. Le parieur sérieux peut exercer ses talents à Vincennes, durant la saison du trot.

Les grands matches de **rugby** et de **football** ont lieu au stade du Parc-des-Princes. Les **tournois de tennis** se déroulent à Roland- Garros, dans le Bois de Boulogne. L'imposant palais omnisports de Paris-Bercy, à côté de la gare de Lyon, a été conçu pour accueillir divers sports, le vélo sur piste en particulier. C'es t aussi l'un des temples de la musique populaire, du tango au rock.

LES SPECTACLES

Il y a presque un siècle, Paris avait une solide réputation de paillettes et de poudre aux yeux: le mythe a survécu. Le Moulin Rouge (place Blanche), perpétue en Europe la tradition des grands **cabarets** tapageurs. Pigalle est par ailleurs un quartier plutôt sordide, fidèle à ses origines. Les goûts ont évolué au fil des ans, mais Pigalle a réussi à parer ses déficiences en perpétuant la tradition de ses spectacles endiablés, tout sourires et strass,qui fascinent toujours une foule de visiteurs. Mis à part un ou deux spectacles animés par des travestis de talent, il s'y passe peu de choses dignes d'intérêt. Les spectacles d'un goût douteux, eux, font foison. Deux exceptions cependant: les Folies Bergères (rue Richer), où débutèrent Joséphine Baker, Mistinguett et Maurice Chevalier, et le Casino de Paris (rue de Clichy), deux classiques qui continuent de fonctionner imperturbablement.

Sur les Champs-Elysées, le Lido, un autre «grand», continue d'attirer les foules: les spectacles sophistiqués des Bluebell Girls, en bas résille et confettis, font toujours recette. Mais le spectacle de cabaret le plus moderne est sans doute celui du Crazy Horse Saloon (avenue Georges V), où les *girls* dansent des ballets fort bien réglés, habillées de seuls

Pigalle cultive son «look» de «gai Paris», tandis que d'autres quartiers, comme la Bastille, développent leur propre style.

effets de lumière. Rive gauche, deux spectacles mêlent jolies filles et travestis dans un pastiche mordant et étonnant: l'Alcazar (rue Mazarine) et le Paradis Latin (rue du Cardinal Lemoine).

Si vous voulez aller danser, une foule de **discothèques** vous sont ouvertes. Le plus impénitent des oiseaux de nuit aurait bien du mal à garder le rythme. Pour simplifier, disons que les discos chères et sélect de Paris se concentrent autour des Champs-Elysées, plus particulièrement rue de Ponthieu et avenue Matignon, alors que les jeunes hantent les boîtes du quartier des Halles. Autre quartier qui grimpe: la Bastille, plus spécialement la rue de Lappe.

Les Français traitent le **jazz** avec respect; la capitale compte 15 clubs de jazz. Le New Morning (rue des Petites Ecuries) attire les meilleurs musiciens américains et européens. En revanche, le Dunois (rue Dunois) est un endroit plus intime qui fait dans l'avant-garde. D'impressionnants concerts **pop** et **rock** ont

lieu au spectaculaire nouveau Zénith, dans la nouvelle Cité de la Musique (à la Villette, métro Porte de Pantin). Cependant, c'est peut-être dans le domaine de la **musique classique** que Paris réussit le mieux. Même si le tout nouvel Opéra-Bastille a été critiqué pour son architecture, la qualité de son acoustique fait l'unanimité. L'Opéra national y a pris ses quartiers, et le prix des places est abordable. L'Opéra-Garnier, à ne pas confondre, demeure le siège du Ballet national. On y fait alterner danse contemporaine et pièces du répertoire.

La **danse contemporaine** connaît un regain de faveur, grâce à une série de petites compagnies dynamiques: après des débuts modestes au café de la Danse (passage Louis-Philippe), suivis du théâtre Garnier et du Centre Pompidou, elles finissent par se produire au théâtre de la Bastille.

Le **théâtre classique** continue la tradition de qualité en jouant Molière, Racine ou Corneille à la Comédie Française (rue de Richelieu); cette dernière élargit progressivement son répertoire. Les amateurs de théâtre peuvent toujours apprécier le style innovateur des Bouffes du Nord (boulevard de la Chapelle), du Théâtre des Amandiers (à Nanterre) et de la Cartoucherie de Vincennes (avenue de la Pyramide). Les comédies de boulevard se jouent pendant des mois dans les théâtres des Grands Boulevards.

Le **cinéma** est l'un des passe-temps nationaux. Trois cents films sont projetés chaque semaine à Paris. Vous en trouverez pour tous les goûts, en version originale si le cœur vous en dit.

Les amateurs de musique classique apprécieront le tout nouvel Opéra de Paris-Bastille.

Loin de l'agitation de la ville, prenez le temps de vous détendre à l'ombre des marronniers du Jardin du Luxembourg.

Ne comptez pas trop sur Paris pour célébrer en grande pompe les fêtes nationales ou religieuses; les fêtes du 14 juillet sont en général bien plus joyeuses en province. Dénichez tout de même un bal populaire dans le Marais ou dans les quartiers dans le vent, et assistez à la revue militaire sur les Champs-Elysées.

Au bout du compte, la meilleure distraction – et aussi la moins chère –, c'est de s'installer à un point «stratégique» pour observer les gens. S'il est préférable d'éviter les Champs-Elysées le soir, la Bastille, Beaubourg et les Halles ont «pris du galon», même si Saint-Germain-des-Prés et le Quartier latin restent distrayants.

Les plaisirs de la table

Le décor change, mais aucun doute possible: Paris est le paradis des gourmets. Il y a des touristes qui viennent à Paris, qui ne visitent aucun musée, aucune église, et qui considèrent le shopping comme une perte de temps. Et pourtant, ils repartent la tête pleine d'aventures sensationnelles et émouvantes qu'ils ne se lassent pas de raconter, et avec le sentiment qu'ils connaissent la ville à fond. Ils ont passé leur temps à bien manger et bien boire, le tout entrecoupé de petites siestes. Si la capacité de votre estomac (ou de votre portefeuille!) ne vous autorise à faire bombance qu'une seule fois, alors, faites-en un jour à marquer d'une pierre blanche.

Un repas en raccourci

Ce serait dommage de faire l'impasse sur les hors-d'œuvres, et vous ne gagnerez guère de temps en les sautant. Ces plats simples, composés de crudités ou de charcuterie, vous mettent en appétit. Un plat de crudités se compose de légumes crus, poivrons verts, tomates, céleri rémoulade, concombres ou radis-beurre accompagnés d'un peu de sel. Les salades, traditionnellement servies entre plat de viande et fromage, sont de plus en plus souvent présentées en entrée.

Les arrivages de poissons sont quotidiens. La truite, au bleu (pochée), meunière (revenue au beurre), ou aux amandes, est délicieuse. Soles et turbots acquièrent de la noblesse nappés de sauce hollandaise: un sublime mélange de jaunes d'œufs, de beurre et de jus de citron, qui n'a d'hollandais que le nom.

La viande est en règle générale moins cuite que dans la plupart des autres pays: bleu, saignant, à point et bien cuit représentent les divers degrés de cuisson. Le bœuf, entrecôte ou tournedos, est souvent accompagné d'une sauce au vin (marchand de vin ou bordelaise) ou cuisiné aux échalotes.

Comment gouverner un pays qui possède plus de 400 variétés de fromage? Telle est la question que se posait le général de Gaulle. Vous les trouverez tous, ou peu s'en faut, à Paris. Sur un plateau de fromages n'hésitez pas à prendre un assortiment: un fromage à pâte dure, un autre à pâte molle ou un bleu bien «goûté», roquefort de préférence. Ou encore un brie de Meaux, un fromage de chèvre ou un reblochon ou un Port-salut.

Laissez-vous tenter par un dessert; vous ne le regretterez pas. Vous avez en général le choix entre une mousse au chocolat, divine, des profiteroles, une tarte aux fruits (pomme, poire, abricot ou autre fruit de saison). Ne manquez pas la fameuse tarte tatin, aux pommes caramélisées.

On peut demander une bouteille de la réserve du patron, d'un prix abordable. N'oubliez pas qu'une carte des vins composée uniquement de grands crus, risque de faire d'un repas raisonnable une dépense excessive. Le vin en carafe est servi en quarts ou demi-litres.

Le café se sert noir, dans de petites tasses. Sachez que le prix en est légèrement moindre au comptoir qu'à une table. Si vous voulez de la bière, commandez un demi, sauf si vous désirez une grande bouteille.

La France dans votre assiette

La **Bourgogne** est le berceau historique de l'art culinaire français. Sa cuisine est idéale pour les gros mangeurs. Cette région vinicole a donné au monde le ragoût le plus accompli: le bœuf bourguignon, que l'on fait mijoter avec amour... et avec des champi-

gnons, des petits oignons et des lardons. Pourquoi ne pas essayer les escargots? Commencez prudemment par une demi-douzaine, et qui sait, peut-être serez-vous converti à cette consistance spéciale et à la sauce aillée.

Lyon est la capitale gastronomique de la France. La qualité de sa charcuterie, de son gibier, de ses légumes et de ses fruits est bien connue. La soupe à l'oignon est une création locale; et tout ce qui est cuisiné à la lyonnaise suppose des oignons sautés. Vous pouvez choisir en entrée les cœurs d'artichauts au foie gras, ou un gratin de queues d'écrevisses. Le saucisson de Lyon est une référence.

La **Bretagne** est surtout célèbre pour ses fruits de mer, servis frais et sans façons sur un lit d'algues et de glace. Le plateau de fruits de mer est incomparable: on y trouve huîtres, palourdes et praires, coquilles Saint-Jacques, langoustines, bigorneaux que vous extirpez avec une épingle, bulots, ormeaux un peu coriaces: en un mot, tout ce que la mer a fourni ce jour là. Les puristes, quant à eux, préfèrent le homard quand il est grillé ou étuvé.

La **Normandie** utilise à plein sa production laitière: crème et beurre sont les piliers de la cuisine normande. Le caneton à la rouennaise (dans une sauce au vin rouge, épicée et épaissie de foies de canard émincés) est originaire de Rouen, où l'on sert de la pomme locale avec le perdreau flambé aux reinettes et le poulet au calvados. En plus du camembert, essayez aussi l'odorant livarot, et le pont-l'évêque carré.

Le **Bordelais** est la deuxième région vinicole de France, célèbre à juste titre pour la sauce bordelaise, faite à partir de vin rouge ou blanc, d'échalotes et de moelle de bœuf, accompagnant entrecôte, cèpes ou lamproie.

La **Provence** marie les poissons de la Méditerranée à l'ail, aux olives, aux tomates et aux fameuses herbes de la région. En entrée, goûtez donc des sardines grillées, simplement arrosées d'un jus de citron: vous aurez tout le Midi en bouche. Ou alors, une tapenade relevée: cette mousse d'anchois et d'olives servie sur toasts est délicieuse. Les Provencaux ont le secret de la daube de bœuf (ragoût de bœuf aux tomates et aux olives). Mais le plat le plus célèbre, c'est la bouillabaisse, qui sans un petit goût de safran ne serait pas la vraie!

Les **Landes**, le **Languedoc** et le **Périgord** sont célèbres pour les truffes, le pâté de foie gras et pour toutes ces riches préparations à base de canard et d'oie: le confit d'oie et le confit de canard sont particulièrement appréciés.

L'exotisme à Paris

S'enorgueillissant du titre de capitale cosmopolite, ouverte aux idées nouvelles – même dans le domaine réservé de l'art culinaire –, Paris a volontiers accepté les restaurants étrangers. Modeste au début, la tendance s'est fortement accentuée et Paris compte de nos jours une variété de restaurants qui dépasse en nombre les nations de l'ONU! Pour changer un peu des restaurants chinois omniprésents – certains des quartiers des Halles ou des Champs-Elysées sont de très haute volée –, vous pouvez goûter aux cuisines vietnamienne, laotienne et cambodgienne dans le Quartier latin et le XIIIe arrondissement (derrière la place d'Italie). Depuis l'arrivée massive de «boat people» dans les années 70, le XIIIe est devenu le refuge de l'Asie du Sud-Est, dont la cuisine se caractérise par des touches de menthe, de citronnelle et de gingembre, et par une grande variété de poissons. La cuisine thaïlandaise, plus épicée, est de plus en plus populaire, à l'instar de la cuisine japonaise.

La rue Saint-Séverin est maintenant le fief des restaurants grecs et tunisiens, mais si vous voulez découvrir une authentique ambiance maghrébine, il est de bon ton d'aller la chercher à Belleville, où vit une importante communauté arabe.

La cuisine indienne est de plus en plus appréciée des gourmets de Paris: non seulement vous pouvez y trouver les classiques curries et tandooris, mais aussi les cuisines mongole et du Cachemire.

Les vins

Les sommeliers sont là pour vous servir, non pour vous intimider; ils se feront un plaisir de démontrer leur grand savoir, si vous manifestez le désir d'apprendre. Si vous préférez le vin rouge, vous pouvez en toute tranquillité en commander une bouteille pour accompagner un plat de poisson. Un beaujolais léger, servi frais (morgon ou brouilly), s'accorde aussi bien avec du poisson qu'avec de la viande. Mais si vous préférez le vin blanc, vous pouvez en toute impunité boire un bourgogne sec avec du poisson, et du vin d'Alsace, qui va avec tout. Vous préférez la bière? C'est la boisson idéale pour la saucisse de Toulouse et la choucroute alsacienne.

Maintenant, si vous désirez quelques tuyaux élémentaires sur les grands classiques, sachez qu'on peut classer les bourgognes rouges en deux catégories: ceux qu'il vaut mieux boire quand ils sont encore jeunes (les vins souples de la cote de Beaune, aloxe-corton, pommard et volnay), et ceux qu'il faut laisser prendre de la bouteille (les côtes-de-nuits corsés, tels vougeot, gevrey-chambertin et chambolle-musigny). Parmi les grands bourgognes blancs, citons le meursault et le puligny-montrachet

Les vins de Bordeaux se partagent en quatre grandes régions; le médoc, rouge chaleureux, odorant et un peu âpre; le graves, rouge léger et moelleux, à la fois sec et vigoureux, rappelant les vins de Bourgogne, le saint-émilion, sombre, fort et corsé; et le sauternes d'or clair, doux et odorant, le plus caractéristique de tous les vins doux et parfumés.

Le Val de Loire produit de bons blancs secs comme le vouvray et le sancerre, ainsi que des rouges solides comme le bourgueil et le chinon. En dehors des bordeaux et des bourgognes, le meilleur vin rouge est sans doute le grand châteauneuf-du-pape, produit dans la vallée du Rhône; à maturité, il est superbe. Citons aussi les très honorables côtes du Rhône, en progrès constant, le cahors, et en Alsace, le riesling, le traminer et le sylvaner.

Pour finir sur une note pétillante, n'oublions pas l'orgueil de la France: le champagne. Il porte le nom de cette petite région à l'est de Paris, entre Reims et Epernay. On le décrit comme un vin «aimable, fin, élégant»; et en effet, qui dit mieux?

BERLITZ-INFO

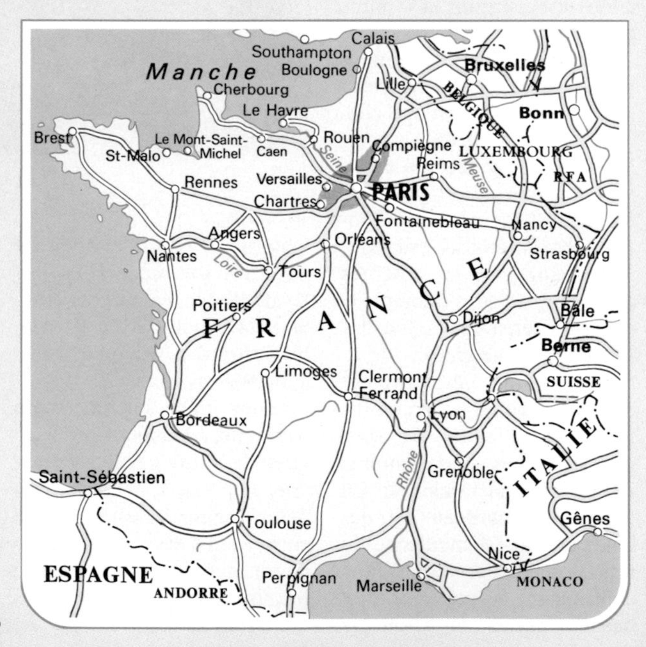

Informations pratiques classées de A à Z pour un voyage agréable

Certaines précisions pourront sembler évidentes aux Français. Elles ne le sont pas forcément pour les étrangers, même francophones.

A

AÉROPORTS

Paris est desservi par deux aéroports principaux: **Roissy-Charles-de-Gaulle**, situé à 25km au nord-est de la capitale, est doté de deux terminaux: CdG-1 pour la plupart des vols intercontinentaux et CdG-2, essentiellement réservé aux vols d'Air-France. **Orly**, situé à 15km au sud de Paris est également divisé en deux secteurs: Orly-Sud et Orly-Ouest, ce dernier étant réservé aux vols intérieurs. La majorité des vols internationaux se fait par Roissy-Charles-de-Gaulle, constitué de modules futuristes. Les deux aéroports offrent une gamme complète de services: banques et bureaux de change, d'excellents restaurants, snack-bars, bureaux de poste et boutiques hors-taxes.

Un service d'**autocars**, réguliers et confortables, relie les aéroports entre eux et assure la navette entre les aéroports et Paris. Les départs ont lieu à intervalles rapprochés, entre 6h du matin et 23h. L'aérogare desservant Roissy-Charles-de-Gaulle 1 et 2 se trouve à la Porte Maillot, près de l'Etoile; vous pouvez également monter à l'arrêt Arc de Triomphe (avenue Carnot). Orly est desservi par l'aérogare des Invalides et par l'Orlybus (départ tous les quarts d'heure de la station RER Denfert-Rochereau; trajet de 25 min environ. La même fréquence est valable dans l'autre sens au départ d'Orly-Sud et d'Orly-Ouest). Comptez 40 min de trajet pour Roissy comme pour Orly et une heure et quart pour aller d'un aéroport à l'autre; prévoyez large si vous faites le trajet aux heures de pointe. Ce ne sont pas les taxis qui manquent, et vous en trouverez toujours bien un en maraude, mais rappelez-vous qu'ils comptent un supplément au départ des aéroports (voir POUR EQUILIBRER VOTRE BUDGET, p.134).

Le même trajet peut être effectué en **train**:

- Départ Gare du Nord pour Roissy-Charles-de-Gaulle.
  Tous les quarts d'heure, entre 5h du matin et 23h.
  Durée: 45 à 75 min.
- Départ Gare d'Austerlitz, Saint-Michel d'Orsay pour Orly.
  Train fréquents de très tôt le matin à très tard le soir.
  Durée: 40 à 60 min.

Orly est également relié à Paris par le **RER**:

- Départ quotidien: ligne B ORLYVAL.
  Toutes les 7 minutes en moyenne, plus souvent aux heures de pointe; changement à Anthony, sur le quai d'en face.

Il existe également un service régulier d'**hélicoptères** reliant les aéroports parisiens à la capitale: l'héliport de Paris est situé au n° 4, avenue de la Porte de Sèvres, au sud-ouest (Métro Balard).

Signalons, enfin, que le hall des arrivées des aéroports est doté d'un centre de réservations hôtelières. A CdG-1 le bureau d'accueil de la porte 36 est ouvert de 7h 30 à 23h. Le personnel peut se charger de réserver un hôtel, un billet de spectacle, etc. (Une caution de 12% est perçue qui sera déduite de la note.) Sinon, servez-vous du tableau lumineux attenant: vous pourrez y repérer les hôtels de la capitale (du moins une ample sélection d'entre eux) et, en pressant sur un deuxième bouton, entrer directement et gratuitement en relation téléphonique avec la réception de l'hôtel choisi. Le réceptionniste maintiendra votre réservation pendant deux heures à partir de ce moment-là. Vous trouverez les mêmes services à CdG- .

Pour tout autre renseignement d'ordre général, appelez le service des renseignements généraux de Roissy-Charles-de-Gaulle au (1) 48.62.22.80.

AMBASSADES et CONSULATS

Si vous rencontrez un problème grave, comme la perte de votre passeport et de tout votre argent, ou si vous avez des ennuis avec la police ou un accident sérieux, mettez vous en rapport avec votre consulat ou votre ambassade qui seront en mesure de vous conseiller et de vous aider, selon le cas. Voici les adresses des ambassades des principaux pays francophones (service consulairecompris):

Algérie	50, rue de Lisbonne, 75008 Paris tél. (1) 42.25.70.70
Belgique	9, rue de Tilsitt, 75017 Paris tél. (1) 43.80.63.00
Canada	Ambassade-chancellerie, 35, avenue Montaigne, 75008 Paris tél. (1) 47.23.01.01
Luxembourg	33, avenue Rapp, 75007 Paris tél. (1) 45.55.13.37
Maroc	5, rue de Tasse, 75016 Paris tél. (1) 45.20.69.35
Suisse	142, rue de Grenelle, 75007 Paris tél. (1) 45.50.34.46

ARGENT

Monnaie: le franc français (abrégé F ou FF) est divisé en 100 centimes (ct).

- *Pièces*: 5, 10, 20, 50 centimes; 1, 2, 5, 10, 20 (fin 1992) francs.
- *Billets*: 20, 50, 100, 200 et 500 francs.

Pour les prescriptions monétaires, reportez vous à la rubrique DOUANE ET FORMALITÉS D'ENTRÉE.

Banques et bureaux de change (voir aussi HEURES D'OUVERTURE). Munissez-vous toujours de votre passeport ou carte d'identité si vous devez changer des devises ou des chèques de voyage. Votre hôtel vous dépannera, mais à un taux nettement défavorable. (Idem dans un grand magasin, une boutique, un syndicat d'initiative ou un restaurant.)

Cartes de crédit Celles-ci sont de plus en plus acceptées dans les hôtels, restaurants, boutiques et stations-service; certaines cartes permettent aussi d'utiliser les distributeurs de billets.

Chèques de voyage et Eurochèques sont acceptés un peu partout en France. Cela dit, en dehors de Paris, ayez toujours un peu d'argent liquide sur vous.

Taxes Une taxe sur la valeur ajoutée (TVA) est applicable à presque tous les biens de consommation et aux services. A l'hôtel et au restaurant, la TVA est en plus du service. Les visiteurs résidant en dehors de la Communauté européenne peuvent récupérer cette taxe. Il leur suffit de demander au vendeur ou à la vendeuse le formulaire approprié, de le remplir, et de le présenter aux douanes françaises en quittant le pays.

AUBERGES DE JEUNESSE

Sachez que les auberges de jeunesse de Paris affichent complet en permanence et qu'il est absolument nécessaire de réserver à l'avance. Pour plus de renseignements, procurez-vous le guide gratuit des auberges de jeunesse en vous adressant à:

La Fédération unie des Auberges françaises de jeunesse
27 rue Pagol, 75018 Paris
tél. (1) 46.07.00.01

B

BLANCHISSERIE et NETTOYAGE À SEC

Si votre hôtel ne dispose pas de son propre service de blanchisserie ou de nettoyage à sec, adressez-vous à une blanchisserie automatique ou une teinturerie (nettoyage à sec): des chaînes spécialisées vous offrent un service rapide et bon marché (évitez cependant de leur confier du linge délicat). Vous trouverez un grand nombre de laveries automatiques à Paris, particulièrement dans le Quartier latin. A l'évidence, un service soigné prendra plus de temps et reviendra plus cher. Les prix varient également en fonction du type de vêtement et de la qualité du tissu.

CARTE MUSÉES ET MONUMENTS

Elle vous donne un accès libre et prioritaire dans 65 musées et monuments de Paris et l'Ile de France: du musée des Egouts au musée du Louvre, en passant par le musée du Cinéma et le château de Versailles. Elle est en vente dans les 65 musées et monuments concernés, à l'Office du Tourisme de Paris (127, av. des Champs-Elysées, 75008 Paris; tél. (1) 47.23.61.72), les principales stations de métro et à Musées & Compagnie, 49, rue Etienne Marcel, 75001 Paris; tél. (1) 40.13.49.13. Trois formules au choix: un, trois ou cinq jours consécutifs. Les prix de vente 1993 sont les suivants:

- carte 1 jour: 60 F
- carte 3 jours: 120 F
- Carte 5 jours: 170 F

Pour tout renseignement, adressez-vous à:

L'association inter-musées, 25, rue du Renard, 75004 Paris
tél. (1) 44.78.45.81; fax (1) 42.71.30.30

CLIMAT

Paris jouit d'un climat semi-océanique, c'est-à-dire modéré, normalement sans chaleurs ni froids excessifs. L'été est sans doute la meilleure saison pour visiter la capitale, mais de la mi-juillet à la fin août Paris se trouve envahi par les touristes et déserté par de nombreux commerçants et restaurateurs qui bouclent valise et partent en vacances. Le choix s'en trouve donc quelque peu réduit. A bien des égards, le printemps et l'automne se prêtent le mieux à un séjour parisien. Cela dit, l'hiver est tout à fait supportable et les températures estivales agréables dans l'ensemble.

Le tableau suivant vous donne une idée des températures moyennes mensuelles.

	J	F	M	A	M	J	J	A	S	O	N	D
°C	3	4	7	10	14	16	19	18	15	11	6	4

COMMENT Y ALLER

Par avion

Paris est desservi par deux aéroports internationaux, Roissy-Charles-de-Gaulle et Orly (voir AÉROPORTS).

vols réguliers

En France métropolitaine Les métropoles régionales sont pour la plupart reliées à la capitale par Air France ou par Air Inter. Paris est à 1h environ de Bordeaux ou de Lyon, à 1h 15min de Marseilles, à 1h 20min de Nice (services quotidiens).

Antilles–Paris Vous avez plusieurs liaisons par jour en saison. Le vol demande moins de 8h de Pointe-à-Pitre à Paris, et environ 8h de Fort-de-France à Paris.

La Réunion–Paris Il existe un, voire deux services journaliers via Djibouti ou via Tananarive et Djibouti, en 13h 15min pour les liaisons les plus directes.

Au départ de l'Afrique du Nord *Algérie–Paris* Plusieurs vols directs, chaque jour, depuis Alger, en 2h environ. *Maroc–Paris* Plusieurs services quotidiens depuis Casablanca en 2h 45min. *Tunisie–Paris* Plusieurs services quotidiens directs en 2h approximativement.

Au départ de la Belgique Vous avez, chaque jour, plusieurs vols Bruxelles–Paris. Le trajet dure 50 min environ.

Au départ du Canada Il y a un ou deux vols directs par jour depuis Montréal en 7h environ (le retour s'effectue en 7h 30 min).

Au départ de la Suisse romande Genève est reliée plusieurs fois par jour aux rives de la Seine, en environ 1h de vol.

Vols charters et voyages organisés

Demandez à votre agence de voyage comment inclure dans votre séjour à Paris la tournée des vignobles, la visite des châteaux de la Loire et des régions environnantes.

En autocar

De nombreuses lignes desservent la capitale à partir de métropoles régionales comme Bordeaux, Lyon ou Nice. Il existe aussi des lignes telles que Ostende/Bruxelles/Mons–Paris, Liège–Paris ou Tiznit–Marrakech–Paris.

En train

En France même Les principales lignes convergent vers Paris. Des rapides de régime intérieur desservent la capitale au départ de Bordeaux, Nantes, Strasbourg, Toulouse, etc. Le TGV relie Paris à Lyon, Marseilles, Montpellier, Saint Etienne, etc (1re et 2e classes; réservation obligatoire). D'autre part, le TGV Atlantique unit Quimper, Brest, ainsi que Nantes à la capitale.

Renseignez-vous auprès de votre agence de voyage pour les services de Trains Autos Couchettes (TAC), Services Autos Express (SAE) ou Trains Autos Jour (TAJ) pour Paris. Un excellent réseau de trains rapides et ultra-rapides dessert Paris.

Au départ de la Belgique Vous avez plusieurs trains par jour depuis Bruxelles et Liège.

Au départ de la Suisse romande Vous avez plusieurs trains par jour entre Genève et Paris via Culoz ou via Lausanne et Vallorbe. Un train de nuit (avec places couchette) prend un peu moins de 7 heures. D'autre part, le TGV relie Paris à Genève cinq fois par jour via Bellegarde, en 3h 30min. Il dessert également Lausanne quatre fois par jour (via Vallorbe) en mettant 3h 40 min environ.

Billets Les visiteurs étrangers peuvent se procurer une carte **France-Vacances-Spéciale**, valide pour des périodes précises (4 jours sur une période de 15 jours) et trajets illimités, avec réduction sur les transports parisiens.

La carte **Rail-Europe-S**, que l'on doit se procurer avant le départ, permet aux retraités d'acheter à prix réduit des billet sur des destinations européennes.

Tout le monde peut acheter une carte **Inter-Rail**, qui permet un mois de voyage illimité en 2e classe sur la plupart des réseaux ferroviaires européens.

Les personnes qui résident en dehors de l'Europe et de l'Afrique du Nord peuvent acheter une carte **Eurailpass**, qui permet des voyages illimités dans 16 pays européens, y compris la France. Toutefois, cette carte doit être achetée avant de quitter votre pays.

En voiture

Voici d'abord quelques distances approximatives, calculées selon les itinéraires les plus directs. (En France, autoroutes à péage.)

En France Biarritz–Paris 730km; Bordeaux–Paris 550km; Brest–Paris 600km; Lille–Paris 215km; Lyon–Paris 455km; Marseilles–Paris 780km; Nice–Paris 940km; Strasbourg–Paris 500km; Toulouse–Paris 675km.

Au départ de la Belgique Il y a 300km de Bruxelles à Paris par l'autoroute.

Au départ de la Suisse romande Paris est à 485km de Genève.

CONDUIRE EN FRANCE

Pour entrer en France avec une voiture immatriculée à l'étranger, il vous faut:

- Un permis de conduire en cours de validité
- Un indicateur de nationalité (autocollant)
- Les documents d'immatriculation du véhicule
- Une attestation d'assurance (la carte verte n'est plus nécessaire, mais une assurance tous risques est recommandée)
- Un triangle de détresse et un jeu d'ampoules de phares de rechange.

L'âge minimum pour conduire une voiture est de 18 ans. Les permis de conduire provisoires étrangers ne sont pas reconnus en France. Le port de la ceinture de sécurité est obligatoire pour le conducteur et les passagers, à l'avant comme à l'arrière. Les enfants de moins de 10 ans ne sont pas autorisés à voyager à l'avant (sauf si le véhicule ne comporte pas de banquette arrière). Le port du casque est obligatoire pour les motocyclistes et les cyclomotoristes.

Règles de circulation On roule bien entendu à droite, on double à gauche et l'on respecte la priorité à droite (à l'exception des rond-points et sauf indication contraire). Dans les agglomérations, il est absolument *impératif* de céder la priorité à tout véhicule venant de droite. Aux carrefours de rase campagne, c'est la route la plus importante qui est prioritaire. L'usage du klaxon en agglomération n'est autorisé qu'en cas de nécessité. La nuit, remplacer le klaxon par des appels de phare.

Limitations de vitesse Les vitesses autorisées sont de 130km/h sur les autoroutes à péage, 110km/h sur les voies rapides, 90km/h sur toutes les routes de campagne et 45km/h en agglomération. Notez qu'en cas de brouillard, la vitesse est limitée à 60km/h sur toutes les routes et que toutes les vitesses sont réduites de 20km/h quand la chaussée est humide. Tenez compte des panneaux de rappel.

Conditions de circulation Conduire dans Paris pourrait être une expérience excitante, voire plaisante, s'il l'on ne rencontrait pas à tout bout de champ d'affreux problèmes de stationnement et des embouteillages déprimants. Cependant, grâce au baron Haussmann et à George Pompidou et sa voie expresse, un bon nombre des grandes artères arrivent à «étaler» la circulation; mais on ne peut pas vraiment s'y fier. Les périphériques ont tendance à s'engorger aux heures de pointe. Si vous désirez vous renseigner avant un déplacement, appelez le service Inter-Route de Radio France-Inter qui vous informe 24 heures sur 24 à partir de son PC parisien; appelez le (1) 48.94.33.33. Vous pouvez aussi vous renseigner auprès du Centre d'Information Autoroutes, 7, rue du Pont des Loges, 75007; tél. (1) 47.05.90.01. Noter qu'en dehors de Paris les autoroutes sont coûteuses.

Stationnement Comme pour tant d'autres de capitales, il s'agit là du gros point noir de Paris, et la marche à pied s'avère souvent le meilleur moyen de transport. Les autorités essayent de résoudre ce problème en construisant des parkings souterrains, signalés par de grands «P» sur fond bleu.

Dans le centre-ville presque tout le stationnement est réglementé par des parcmètres ou autres heurodateurs. Si vous voulez garer votre voiture en zone bleue (reconnaissable grâce à la bande bleue peinte sur les panneaux de signalisation), il vous faut un disque de stationnement que l'on trouve dans les stations-service ou chez les marchands de journaux. Indiquez votre heure d'arrivée – cela vous donnera l'heure limite autorisée– et placez le disque bien en évidence à l'intérieur du pare-brise. Repérez, au besoin, la présence d'un panneau «disque obligatoire».

Certaines rues sont à stationnement bi-mensuel alterné: les panneaux indiquent clairement les dates.

En cas de panne Avant de partir, il est fortement recommandé de souscrire une assurance accidents internationale. Faites toujours établir un devis avant d'autoriser toute réparation et attendez-vous à payer la TVA en plus du montant de la réparation. Deux compagnies vous proposent un service de dépannage 24 heures sur 24: l'Automobile Club Secours, tél. (1) 05.05.05.24 (appel gratuit) et SOS Dépannage, tél. (1) 47.07.99.99.
Essence et huile On trouve partout du super (indice d'octane 98) de l'ordinaire (octane 90), de la sans plomb (octane 95) de la super sans plomb (octane 98), et du gas-oil (diesel). Notez bien que de nombreux garages sont fermés le dimanche. Evitez les stations d'autoroute, plus chères, et essayez de faire le plein dans les stations-service des supermarchés; la différence de prix peut aller jusqu'à 15%.

CROISIÈRES FLUVIALES

Que vous aimiez ou non le bateau, offrez-vous une promenade diurne sur la Seine au début de votre séjour; ou, en fin de séjour, une croisière nocturne, plus romantique, qui vous révèlera un Paris resplendissant, en habit de lumière. Les commentaires vous feront mieux apprécier la riche histoire du fleuve et de son plus beau fleuron: la capitale. Les horaires varient, mais les promenades commencent en gros vers 10h et prennent fin vers 22h 30.

Même les Parisiens s'y sont mis en adoptant le **Bat-O-Bus**: avec ses 5 arrêts clés, c'est une façon pratique de se déplacer dans le sens est-ouest en sautant les bouchons. Embarquez, par exemple, au pont de Solférino, en direction des îles. Rapide, efficace, et quelle belle vue de la Seine.

On reconnait les **bateaux-mouches**, ces bateaux bas sur l'eau, tout de verre vêtu, à leurs noms: tous sont en effet baptisés en l'honneur de chanteurs français. En fonction du temps, on peut s'asseoir à l'air ou à l'abri. La promenade dure une heure en moyenne: départ du pont de l'Alma en direction du pont Mirabeau; retour par le pont Sully, à la pointe de l'île Saint-Louis. On peut également déjeuner ou dîner à bord, de midi à 14h 45 et de 20h à 22h 45. Habillez-vous en conséquence: anoraks et blue-jeans ne sont pas les bienvenus.

Meilleur marché, les promenades en **vedette** durent une heure. De Pâques à l'automne, les vedettes Paris-Tour-Eiffel partent du pont d'Iéna (rive gauche) et du quai de Montebello, se dirigent vers l'ouest jusqu'au pont de Bir-Hakeim, vers l'est jusqu'au pont Sully; retour au point de départ.

Pour plus de renseignements sur les services ci-dessus, appeler les Bateaux Parisiens au (1) 44.11.33.44

Les **Vedettes du Pont-Neuf** partent du Pont-Neuf (square du Vert-Galant) pour la tour Eiffel; retour en contournant les îles. Croisières nocturnes du 1er mai au 15 octobre, de 21h à 22h 30 (départ toutes les 30 minutes). Tél. (1) 46.33.98.38.

La **Patache Eautobus** lève l'ancre au quai Anatole France à 9h 30 et 14h 30 pour une demi-journée de croisière jusqu'au parc de la Villette, au nord-est de Paris, en remontant la Seine et le canal Saint-Martin. Le **Canotier**, quant à lui, vous emmène pour la journée sur la Seine et la Marne jusqu'à Champigny (embarquement au musée d'Orsay). Ces deux croisières fluviales sont guidées et ont également lieu le dimanche et jours fériés. Vous êtes tenu de réserver à l'avance en appelant le (1) 42.40.96.97.

D

DÉCALAGE HORAIRE

La France est à l'heure TU+1, mais de fin mars à fin septembre, l'horaire d'été entre en vigueur, soit TU+2 et les Français avancent leur montre d'une heure. Les journées d'été sont particulièrement longues et il peut encore faire jour à 23h.

En été, quand il est midi à Paris, Bruxelles et Genève, il est 11h à Alger et à Tunis, 10h à Casablanca et6h à Montréal.

DÉLITS

Confiez, contre reçu, tout objet de valeur au coffre-fort de votre hôtel. Confiez-lui aussi votre argent, lorsqu'il s'agit de grosses sommes. Les trajets nocturnes en métro et en autobus ne sont pas vraiment recommandés, même si les risques sont comparables à ceux des autres grandes villes.

En cas de perte, de vol ou de tentative de vol, faites-en tout de suite part au commissariat de police le plus proche. Votre déclaration vous aidera dans vos démarches auprès de votre assureur.

DOUANE et FORMALITÉS D'ENTRÉE

Les ressortissants d'un pays de la CEE et les Suisses n'ont besoin, pour un séjour touristique en France que d'une carte d'identité ou d'un passeport en cours de validité. Les Canadiens doivent présenter un passeport valide et un visa. Nous recommandons aux ressortissants d'autres pays de prendre contact avec le consulat ou l'ambassade de France dans leur pays (voir p.117).

Le tableau suivant vous indique ce que vous avez le droit d'importer en France et d'exporter lors de votre retour:

	Cigarettes		Cigares		Tabac	Liqueurs		Vins
1)	300	ou	75	ou	400g	1,5L	et	5L
2)	200	ou	50	ou	250g	1L	et	2L
Algérie	200	ou	50	ou	400g	1L	ou	1L
Belgique	300	ou	75	ou	400g	1,5L	ou	5L
Canada	200	ou	50	ou	1kg	1,1L	ou	1,1L
Luxembourg	200	ou	50	ou	400g	1,5L	et	5L
Maroc	200	ou	50	ou	400g	1L	et	1L
Suisse	400	ou	100	ou	500g	1L	et	2L

1) Ressortissants d'un pays de la CEE transportant des produits non-détaxés
2) Ressortissants d'un pays de la CEE transportant des produits importés en franchise et personnes provenant d'un pays non-inclus dans la CEE.

Prescriptions monétaires il n'y a pas de plafond pour l'importation ou l'exportation de devises locales ou étrangères et de chèques de voyage, mais les montants excédant 50 000 F ou leur équivalent doivent être déclarés à l'arrivée.

ENFANTS

De l'aurore au couchant, à quelques exceptions près, les activités qui vous intéressent ont aussi de bonnes chances de plaire à vos enfants. La visite de la tour Eiffel et les promenades en bateau feront la joie des petits comme des «grands». Le zoo de Paris, ouvert au public tous les jours de 9h à 17h 30, se trouve dans le bois de Vincennes; il est facile d'accès par le métro (station Porte Dorée). Le Jardin d'Acclimatation du Bois de Boulogne est un complexe unique associant parc d'attractions et zoo; on y trouve également des promenades à dos de poney, des spectacles de marionnettes et autres. Les prix sont abordables et les enfants ne manqueront pas d'adorer ce terrain de jeux privilégié. Le Jardin est ouvert tous les jours de 9h 30 à 18h 30. Au Jardin du Luxembourg, les bambins auront à leur disposition marionnettes et promenades en poney; ils pourront aussi s'amuser à regarder les bateaux téléguidés naviguer sur les bassins.

Le Centre Pompidou propose à ses visiteurs en herbe une foule d'activités, dont un atelier d'art les mercredi et samedi après-midi. Pour plus de renseignements, appelez le (1) 44.78.12.33 et demandez l'atelier des enfants. Les mordus de la science trouveront leur bonheur à la Cité des Sciences et de l'Industrie de la Villette, tout en s'y amusant énormément.

A une trentaine de kilomètres de Paris, à Marne-la-Vallée, l'Euro Disney Resort a de quoi divertir les enfants pendant des journées entières, voire des semaines. De Roissy-Charles-de-Gaulle, prendre la A104 puis la A4 en direction de Marne-la-Vallée; ou prendre la ligne est du RER (A4 Torcy) jusqu'à la station Chessy–Marne-la-Vallée. Pour de plus amples détails, reportez-vous au guide Berlitz EURO DISNEY RESORT.

HÉBERGEMENT (Voir également AÉROPORTS, AUBERGES DE JEUNESSE et le GUIDE DES HOTELS ET RESTAURANTS PARISIENS)

Paris vous propose un large éventail d'hôtels, pour tous les goûts et toutes les bourses, mais n'oubliez pas que la capitale est un pôle d'attraction 365 jours sur 365. En conséquence, il est fortement recommandé de réserver une chambre à l'avance. En haute saison et pendant les foires et autres salons internationaux, Paris est littéralement pris d'assaut: y trouver une chambre tient du miracle.

Les hôtels sont classés en cinq catégories officielles. On peut en obtenir une liste détaillée auprès de l'Office du Tourisme et des Congrès de Paris (voir p.131). Les tarifs sont fonction des prestations et de l'emplacement de chaque hôtel. Ils sont obligatoirement affichés à la réception de l'hôtel et sur la porte de chaque chambre.

Si vous envisagez un long séjour, une location peut se révéler une bonne solution. La presse nationale, comme *Le Figaro* ou *France-Soir*, ou l'hebdomadaire *Du particulier au particulier*, comportent plusieurs pages d'annonces proposant des logements à louer.

HEURES D'OUVERTURE

Si vous désirez obtenir un renseignement d'ordre «administratif», ne comptez pas l'obtenir à l'heure du déjeuner; même si l'interminable pause-déjeuner parisienne n'est plus guère qu'un souvenir, bureaux et boutiques ferment encore une heure à 1h 30 et entre midi et 14h 30.

Banques Elles sont en général ouvertes de 9h à 17h en semaine. Notez que beaucoup ferment à l'heure du déjeuner entre midi et 14h. Le jour de fermeture est soit le samedi, soit le lundi. Toutes les banques sont fermées les jours fériés; de plus, notez que la veille de ces congés, l'heure de fermeture est avancée.

Principaux bureaux de poste Ils sont ouverts de 8h à 19 h en semaine et de 8h à midi le samedi. Les bureaux de poste secondaires ferment à l'heure du déjeuner, de 12h à 14h 30 et le soir à 17h ou 18h.

Epiceries, boulangeries, bureaux de tabac, magasins d'alimentation Ils sont ouverts de 7h à 19h, parfois plus tard (jusqu'à minuit dans certains cas), du lundi au samedi. Les magasins d'alimentation sont souvent ouverts le dimanche matin. Les petites boutiques ferment en général à l'heure du déjeuner, entre 12h 30 et 14h.

Autres commerces, grands magasins, boutiques et galeries Ils ouvrent en général à partir de 8h, plus souvent 9h ou 9h 30 jusqu'à 18h 30 ou 19h, quelquefois plus tard l'été. Les jours de fermeture sont soit le lundi matin, soit le lundi toute la journée.

Musées et monuments historiques Ceux-ci sont ouverts de 10h à 17h ou 17h 30 (à vérifier sur place). Le jour de fermeture est souvent le mardi (sauf le musée d'Orsay: attention aux queues ce jour-là). Renseignez-vous au préalable.

JOURNAUX ET REVUES

Paris étant une ville cosmopolite, elle se doit d'offrir, en dehors de la presse française, un grand choix de quotidiens, hebdomadaires et mensuels en provenance de divers pays. Vous pouvez vous les procurer dans les kiosques et maisons de la Presse. *Pariscope* et *L'Officiel des spectacles* sont les deux hebdomadaires qui vous renseigneront le mieux sur les spectacles parisiens. Berlitz publie également *Paris 1001 adresses*. En 1001 adresses accompagnées de commentaires éclairés, vous ferez le tour complet de la vie parisienne.

JOURS FÉRIÉS

Les bureaux, banques, centres administratifs et la majorité des magasins ferment pendant les jours fériés. Cependant, vous trouverez toujours une petite boutique de quartier pour vous dépanner (ouvertes le matin en particulier). Si un de ces jours tombe un mardi ou jeudi, beaucoup de Français en profitent pour «faire le pont» en prenant le lundi ou le vendredi pour jouir d'un long week-end. Cette pratique n'affecte toutefois pas sérieusement l'activité des commerces et entreprises.

1er janvier	Jour de l'An
1er mai	Fête du Travail
8 mai	Fête de la Victoire (1945)
14 juillet	Fête nationale
15 août	Assomption
1er novembre	Toussaint
11 novembre	Anniversaire de l'Armistice (1918)
25 décembre	Noël
Fêtes mobiles	Lundi de Pâques
	Ascension
	Lundi de Pentecôte

L

LOCATION DE VOITURE (voir aussi POUR EQUILIBRER VOTRE BUDGET)

Les agences parisiennes proposent des voitures de marques françaises, mais aussi étrangères. Les agences locales offrent en principe des tarifs plus avantageux que les agences internationales, mais vous devrez généralement rendre la voiture là où vous l'avez louée et non dans une autre ville.

Pour louer une voiture, il vous faut présenter votre permis de conduire (établi depuis plus d'un an) et votre passeport ou carte d'identité. Selon le modèle et l'agence, l'âge minimum requis varie de 20 à 23 ans. On vous demandera généralement une caution substantielle (remboursable); toutefois, vous en serez généralement exempté si vous êtes détenteur d'une carte de crédit reconnue, auquel cas on vous demandera seulement de fournir le nom de votre hôtel ou votre adresse de séjour. Une assurance au tiers est obligatoire.

MINITEL

Le système Minitel a littéralement envahi foyers et endroits publics en France; il est en passe de devenir indispensable. On peut l'utiliser pour pratiquement tout: de la réservation d'une place de TGV à un spectacle; ou encore pour rechercher le numéro de téléphone et l'adresse de quelqu'un (vous remarquerez que les annuaires de téléphone ont pratiquement disparu). Les touristes ont toutes les chances de se familiariser avec le Minitel, soit à l'hôtel, soit à la poste. Une petite brochure *Passeport Tourisme Minitel* vous donne les codes les plus courants: il est disponible dans les syndicats d'initiative.

OBJETS TROUVÉS

En cas de perte ou de vol, adressez vous d'abord à la réception de votre hôtel: on vous aiguillera peut-être sur le commissariat de police du quartier pour y faire une déclaration de perte ou de vol. Dans les restaurants et hôtels, le personnel, en règle générale, a l'honnêteté de restituer tout bien oublié; les objets de valeur sont remis à la police. Les objets trouvés sur la voie publique sont en général expédiés au:

Bureau des Objets trouvés, 36, rue des Morillons, 75015 Paris

C'est à la même adresse que sont regroupés tous les objets trouvés dans le métro, le RER et les autobus. Si vous avez perdu votre passeport, adressez-vous à votre ambassade, car le Bureau des Objets trouvés fait le nécessaire pour y faire parvenir passeports et papiers trouvés sur la voie publique.

OFFICES DE TOURISME

Si vous ne résidez pas en France, l'Office français du Tourisme de votre pays sera à même de vous fournir des informations, des brochures, etc., avant votre départ pour Paris. Sur place, le bureau central de Paris est très efficace. Rendez-vous au:

127, avenue des Champs-Elysées, 75008 Paris,
tél. (1) 47.23.61.72; fax (1) 47.23.56.91

Le bureau est ouvert de 9h à 20h, et le personnel peut vous fournir toutes sortes de services, allant d'un simple renseignement à une réservation. Des bureaux de change sont installés à côté et en face de l'agence. L'Office du Tourisme a des antennes dans les grandes gares, les aéroports et les terminaux.

Pour tout renseignement sur Paris et les diverses provinces françaises, adressez-vous au:

CRT Ile-de-France, 73-75, rue Cambronne, 75015 Paris,
tél. (1) 45.67.89.41.

P

PLANS et CARTES

Des petits plans de la capitale sont disponibles gratuitement dans les offices de tourisme, les banques et les hôtels. Des cartes plus détaillées sont en vente dans les kiosques et les librairies. Si vous voulez un bon plan de la ville, choisissez le *Plan de Paris* de A. Leconte; sous son format de poche, il rassemble une grande carte à déplier, des plans détaillés par arrondissement, une liste d'adresses utiles et un glossaire de toutes les rues parisiennes – un must. Les stations de métro vous fourniront sur demande un plan du réseau, ainsi que celui des lignes d'autobus.

POLICE

La police municipale ou gardiens de la paix, en uniforme bleu, sont en règle générale très courtois et serviables. Ils font respecter l'ordre public, la circulation, encadrent les démonstrations, s'occupent d'enquêtes criminelles, et se montrent inflexibles lorsqu'il s'agit de délits de stationnement ou d'excès de vitesse.

Les Compagnies républicaines de Sécurité (CRS) sont les «durs»; armées de matraques et de boucliers, ils refoulent les démonstrations qui dégénèrent.

L'élégante Garde républicaine, souvent à cheval et accompagnée d'une excellente fanfare, apparaît lors des cérémonies et parades.

Vous verrez les gendarmes en dehors de Paris et des grandes villes. Ils portent des pantalons bleus et des vestes noires ceinturées de blanc. Leur tâche est de s'occuper de la circulation et des enquêtes criminelles.

Si vous avez besoin de la police, appelez le **17** à Paris et partout en France.

POSTE

Les bureaux de poste sont signalés par un oiseau bleu stylisé et par l'indication «Postes et Télécommunications», «P&T», ou plus simplement «La Poste». Les bureaux de poste sont normalement ouverts de 8h à 19h du lundi au vendredi et de 8h à 12h le samedi. Sachez que la poste du 52, rue du Louvre, est ouverte 24h sur 24, 365 jours sur 365. Attendez-vous à faire la queue.

Les bureaux de poste assument, bien évidemment, le courrier normal, et disposent de services téléphoniques, de fax et de telex. Vous pouvez y acheter timbres et télécartes, y percevoir ou y envoyer de l'argent.

Si vous utilisez le service postexpress, vos lettres pour Paris et la région parisienne peuvent être acheminées en quelques heures. Le message téléphoné est un autre moyen rapide et meilleur marché pour vos communications urgentes.

Même si en théorie, il vous est toujours possible d'acheter des timbres dans les bureaux de tabac et à l'occasion dans les hôtels et auprès des marchands de cartes postales et de souvenirs, les commerçants sont plutôt réticents à vous en vendre.

Si vous ne précisez pas à l'avance votre adresse à Paris, le courrier peut vous être expédié au bureau de poste central. Votre courrier vous sera remis sur présentation d'une pièce d'identité et moyennant une petite somme. La compagnie American Express fournit le même service à ses clients.

M. Dupont, poste restante, 52, rue du Louvre, 75001 Paris

American Express, 11, rue Scribe, 75009 Paris

Il est bon de savoir que l'acheminement du courrier est moins rapide pendant les mois d'été.

POUR ÉQUILIBRER VOTRE BUDGET

Pour vous donner une idée du coût de la vie à Paris, nous avons préparé une liste de prix, exprimés en francs français (F). Cela dit, ces données n'ont qu'une valeur indicative, puisque comme partout ailleurs, l'inflation existe en France.

Cigarettes françaises de 8–12 F; étrangères de 12–17 F; cigares de 20–60 F pièce.

Excursions, visites Bateaux: adultes 40 F, enfants 20 F. Musées 20–35 F.

Guide 640–830 F pour une demi-journée.

Hôtels (chambre double avec bain) ****L 1200–2500 F; **** 900–1500 F; *** 500–800F; ** 350–500 F; * 180–350 F

Location de vélo 400 F par semaine; caution de 1000 F remboursable.

Location de voiture (compagnie internationale, taxe et assurance comprises)

Catégorie A (Renault 5)

Tarif: 266,85 F par jour; 4,28 F le kilomètre; 1800 F par semaine avec kilométrage illimité.

Catégorie B (Renault 19)

Tarif: 322,08 F par jour; 4,87 F le kilomètre; 2300 F par semaine avec kilométrage illimité.

Catégorie E (Renault 21 GTS)

Tarif: 489,82 F par jour; 6,50 F le kilomètre; 3800 F par semaine avec kilométrage illimité.

Catégorie G (Mercedes 190)

Tarif: 818,34 F par jour; 8,49 F le kilomètre; 6400 F par semaine avec kilométrage illimité.

Métro et autobus 6 F le ticket environ; le carnet de 10 tickets 36 F environ. Coupon jaune (hebdomadaire: du lundi au dimanche suivant), valide sur le réseau métro et autobus 54 F. Carte orange (mensuelle: du 1er à la fin du mois), valide pour le métro et l'autobus

190 F. Billet «Paris-Visite», métro et autobus, 80 F pour 3 jours, 130 F pour 5 jours. Billet «Journée Formule 1», valable 24 heures pour le métro et l'autobus, 23 F.

Repas et boissons Petit déjeuner à l'hôtel 35–100 F; au café, 20–60 F. Déjeuner ou dîner dans un bon restaurant 150–400 F; café 8–20 F; bière 12–40 F; bouteille de vin 90 F et plus; cocktail 45–90 F; whisky 55F; cognac 40–60 F.

Sorties et spectacles *Discothèques* de 70–110 F pour l'entrée et première consommation. *Boîtes de nuit* de 300–650 F pour dîner avec spectacle. *Cinémas* de 38–50 F (tarifs spéciaux pour étudiants et groupes, prix spécial le lundi: de 26–35 F).

Taxis prise en charge de 11 F (majorée de 5 F dans les gares et aérogares); 2,79 F le kilomètre. Les tarifs de nuit sont plus élevés.

Trajets Paris–aéroports Autobus pour Orly: 33 F; pour Charles-de-Gaulle: 48–64 F. Train pour Orly (2e classe): 22 F; pour Charles-de-Gaulle: 27,50 F. Taxi pour Orly: 170 F environ; pour Charles-de-Gaulle: 220 F environ.

POURBOIRES

En règle générale, le service (10 à 15%) est porté automatiquement sur la note d'hôtel ou l'addition au restaurant. Le pourboire devient donc de plus en plus une marque d'appréciation pour un service exceptionnel. Les guides de musées sont une catégorie à part. Si le service n'est pas compris, majorez la note de 10%. A titre d'exemples:

Porteur, par bagage	5F
Femme de chambre, par semaine	50–100 F
Préposée aux lavabos	2 F
Serveur	5–10% (facultatif)
Chauffeur de taxi	10–15%
Guide	10%

R

RÉCLAMATIONS

Si vous avez à faire quelque réclamation que ce soit, faites la immédiatement, avec calme, et à la personne la mieux placée pour la recevoir. A l'hôtel ou au restaurant adressez-vous au directeur ou au maître d'hôtel. Dans des circonstances plus graves, prenez contact avec le commissariat de police; à défaut, en dehors de Paris, la préfecture ou la sous-préfecture (demandez le service du tourisme). Si vous avez une raison valable de vous plaindre, la fermeté, mais aussi le sens de l'humour, seront vos meilleurs atouts.

S

SOINS MÉDICAUX (voir aussi URGENCES)

Pour partir l'esprit tranquille, assurez-vous que votre assurance maladie comporte une clause spéciale vacances. En cas de doute, renseignez-vous sur les assurances santé-vacances auprès de l'organisme concerné, les associations automobiles ou les agences de voyages.

Les voyageurs de la Communauté européenne bénéficiant d'assurances médicales équivalentes dans leur pays d'origine, peuvent bénéficier des traitements médicaux et hospitaliers offerts par le système français de sécurité sociale. Prenez soin de vous procurer les formulaires et renseignements appropriés avant votre départ.

Paris compte d'excellents médecins et établissements hospitaliers. Les médecins travaillant dans le cadre de la sécurité sociale française (médecins conventionnés) font payer le tarif minimum.

Une croix verte indique une pharmacie. Les pharmaciens vous conseilleront dans le cas de petits problèmes de santé et ils pourront vous indiquer une infirmière, en cas de picures ou autres soins particuliers. Le nom et l'adresse de la pharmacie de garde la plus proche sont affichés dans les vitrines de toutes les pharmacies. La pharmacie des Champs-Elysées, 84, avenue des Champs-Elysées (tél. (1) 45.62.02.41), est ouverte 24 heures sur 24.

TAXIS

Les taxis parisiens, rapides et peu coûteux, sont vraiment une affaire. Sachez cependant qu'il vous faut acquitter un léger supplément pour tout chargement de bagages dans le coffre ainsi que pour une prise en charge dans une gare ou un aéroport. Par ailleurs, la loi interdit aux taxis de transporter plus de trois passagers. Vous trouverez toujours un taxi en maraude, ou à l'une des nombreuses rampes réparties dans la capitale. N'hésitez pas à demander un reçu (fiche) au chauffeur, si vous en avez besoin. Trois types de tarif sont appliqués selon la zone de parcours et l'heure (les tarifs sont sensiblement supérieurs entre 19h et 7h du matin, ainsi que le dimanche). Le prix moyen de 220 F pour une course de Roissy-Charles-de-Gaulle au centre de Paris, le jour, peut passer à 280 F la nuit. Enfin, en cas de litige avec le chauffeur, vous avez la possibilité de déposer une plainte au Service des Taxis, 36, rue des Morillons, 75732 Paris, tél. (1) 45.31.14.20.

TÉLÉPHONE

Tous les types d'appel (locaux, nationaux, et internationaux) peuvent être effectués à partir d'une cabine téléphonique; mais si vous n'êtes pas très sûr d'y arriver sans aide, il est sans doute préférable de faire l'appel d'un bureau de poste ou de votre hôtel (même si on vous fait payer un supplément).

Le système est simple et efficace; un seul inconvénient: toutes les cabines téléphoniques de Paris ne fonctionnent plus qu'avec la télécarte (de 50 à 120 unités), en vente dans les bureaux de poste et les bureaux de tabac. Les rares appareils à pièces encore en service fonctionnent avec des pièces de 50 centimes, 1, 2 et 5 francs.

Pour un appel international, composez le 19, attendez la tonalité, puis composez votre numéro. Pour les renseignements internationaux, composez le 19.33, suivi du numéro du pays appelé (11 au lieu de 1 pour le Canada). Pour les appels d'une région à l'autre en France, il n'existe pas de code particulier: composez uniquement les huit chiffres de votre correspondant, sauf à partir de Paris et de l'Ile de France; dans ce cas composez le 16, attendez la tonalité et composez les huit chiffres du correspondant. Pour appeler Paris ou l'Ile de France à partir de la province, composez le 16, attendez la tonalité, puis composez le 1 suivi des huit chiffres du correspondant. Si vous n'y parvenez pas, faites appel à l'opérateur en composant le **12**.

TRANSPORTS EN COMMUN

Le service d'**autobus** de la RATP est efficace et très étendu mais pas toujours des plus rapides, en raison de la circulation. Les arrêts sont signalés par des panneaux rouges et jaunes avec le numéro de la ligne et les arrêts desservis. Les itinéraires sont affichés dans les abris-bus. La plupart de autobus circulent de 7h 30 à 20h 30; certains roulent jusqu'à minuit et demi. Notez que la fréquence est réduite le dimanche et jours fériés. Des autobus spéciaux, les «Noctambus», sont en service pour les oiseaux de nuit: ils circulent sur 10 trajets principaux dans la capitale, de 1h 30 du matin à 5h 50; départ toutes les heures du Châtelet. Vous pouvez vous en procurer l'itinéraire dans les stations de métro.

Selon le trajet, il vous en coûtera un, deux ou trois tickets. Vous pouvez acheter votre ticket en montant, mais si vous comptez utiliser beaucoup les transports en commun, un carnet de 10 tickets se révèlera plus économique. Achetez-les dans les stations de métro, et n'oubliez pas que les tickets de métro et de bus sont interchangeables. Vous pouvez aussi acheter une carte «Paris-Visite» valable pour un, deux, trois ou cinq jours, ou une carte orange, valable un mois (voir POUR EQUILIBRER VOTRE BUDGET).

Un bon moyen tout simple pour visiter la ville est d'utiliser les cars Inter-Transports ou le Parisbus à impériale: ils fonctionnent sur un même billet et vous pouvez monter et descendre aussi souvent que vous le voulez et où vous voulez. Le circuit complet dure de une heure et demi à deux heures et demi; les départs ont lieu toutes les heures. Vous pourrez admirer les hauts-lieux de la capitale (le palais de Chaillot, l'Etoile, la tour Eiffel, le Louvre, la Madeleine, Montparnasse...). Les tickets sont en vente aux arrêts d'autobus ou aux Coches parisiens, 9, place de la Madeleine.

De mai à septembre, le **Bat-O-Bus** relie la tour Eiffel à l'Hôtel de Ville avec cinq arrêts intermédiaires (voir p. 124).

Le **métro** de Paris est probablement l'un des plus efficaces, des plus rapides et des plus pratiques du monde. C'est aussi l'un des meilleurs marché. Il ne cesse de s'étendre pour répondre aux besoins croissants de la clientèle. Les lignes du réseau express régional (RER) relient les banlieues au centre de la ville en un temps record, avec quelques stations intermédiaires.

Si vous devez utiliser le métro régulièrement l'achat d'un carnet de tickets (valables également sur le réseau d'autobus) est une bonne solution. Un ticket de métro normal est valide sur le RER, à condition de rester dans Paris intra-muros.

Pour un séjour prolongé, et donc des trajets réguliers dans la capitale, un coupon jaune (hebdomadaire) ou une carte orange (mensuelle) vous feront faire des économies. Le coupon jaune est valable une semaine (du lundi au dimanche suivant); la carte orange est valable un mois (du 1er à la fin du mois); il vous faudra fournir une photo d'identité. Il existe également une formule spéciale «Paris-Visite» (valable trois ou cinq jours et permettant des voyages illimités en autobus ou en métro) et le ticket «Journée Formule 1» (valable une journée sur le réseau du métro, des autobus, du RER et sur le funiculaire de Montmartre).

Les stations de métro sont pourvues de plans clairs et de bonnes dimensions, et le système est facile d'accès et d'utilisation. Le service commence à 5h 30 le matin et s'arrête vers 1h du matin.

Comme partout ailleurs, il n'est pas recommandé de voyager seul après 22h 30. La RATP possède un bon bureau d'informations au 53 ter, quai des Grands Augustins 75271 Paris CEDEX 6, tél. (1) 43.46.14.14.

Quant au **train**, la SNCF (Société nationale des Chemins de Fer français) assure un trafic rapide, ponctuel et confortable sur tout le réseau national. Les trains à grande vitesse (TGV), en service sur quelques lignes choisies, offrent un service excellent, bien que plus coûteux que les trains ordinaires. Les réservations sont obligatoires pour le TGV et vous devrez payer un supplément.

Les principales gares parisiennes sont:

- **Gare du Nord**
  région nord, Belgique, Grande-Bretagne, Allemagne...
- **Gare de l'Est**
  région est et nord-est, Allemagne
- **Gare de Lyon**
  région sud-est, Riviéra, Suisse, Italie
- **Gare d'Austerlitz**
  région sud-ouest, Espagne
- **Gare Montparnasse**
  région ouest, Bretagne

Vous avez le choix entre plusieurs catégories de billets. N'oubliez pas de composter votre billet *avant* de monter dans le train, en l'introduisant dans le composteur de couleur orange situé près de la porte d'accès aux quais. Si votre billet n'est ni composté ni daté, vous êtes passible d'une amende.

URGENCES

Où que vous soyez en France, vous obtiendrez de l'aide en ap-pelant le **17**, Police-Secours. Le **18** est le numéro d'appel des pompiers, qui se déplacent aussi en cas d'asphyxie ou de noyade.

Il existe à Paris un Centre anti-poisons efficace (appelez le (1) 40.37.04.04). Pour toute urgence médicale, contactez SOS-Médecins au (1) 47.07.77.77) ou le SAMU au (1) 45.67.50.50).

VOLTAGE

Suivant votre pays d'origine, un adaptateur peut être nécessaire (les prises françaises ont des trous ronds). Dans la grande majorité des cas, 220 volts est la norme; cependant, on trouve encore parfois du 110 volts à la campagne.

VOYAGEURS HANDICAPÉS

Les problèmes spécifiques des voyageurs handicapés physiques n'ont jusqu'à présent guère préoccupé les urbanistes de Paris; cependant, il y a du progrès (Paris, après tout, est la ville natale de Louis Braille). Le Louvre, par exemple, a eu l'idée de visites spéciales, conçues pour faciliter la visite du musée, tandis que la TGB (Très Grande Bibliothèque) tiendra compte des besoins spécifiques des handicapés. Les aéroports fournissent maintenant l'assistance nécessaire. Pour Orly-Sud, composez le (1) 49.75.30.70; pour Orly-Ouest le (1) 16.75.18.18 et pour Roissy-Charles-de-Gaulle, appelez Air-Assistance au (1) 48.62.28.24. La RATP (le réseau du métro et des autobus) prévoit un service d'assistance aux mal-voyants, au cas où ils auraient besoin d'aide dans leurs déplacements (tél. (1) 40.48.78.25). On peut obtenir ce même type d'assistance de la SNCF (le réseau ferroviaire) en appelant la gare concernée. Vous pouvez aussi contacter APS, Service vacances, 17, boulevard Blanqui, 75013, tél. (1) 40.78.69.00, pour tout renseignement sur l'assistance aux handicapés physiques en vacances.

Index

Lorsqu'un mot ou un nom est cité à plusieurs reprises dans le guide, la référence principale est indiquée en **mi-gras**.